So werde ich Turnierreiter

So werde ich Turnierreiter

Von der Turniervorbereitung bis zum Turnierstart

Von Clarissa L. Busch

Cadmos Verlag GmbH, Lüneburg
Copyright © 2001 by Cadmos Verlag
Titelfoto: Clarissa L. Busch
Cover: Ravenstein Brain Pool, Völkersen
Gestaltung: Nicole Schröder, Cadmos Verlag GmbH
Druck: Westermann Druck, Zwickau
Alle Rechte vorbehalten.
Abdrucke oder Speicherung in elektronischen
Medien nur nach vorheriger schriftlicher
Genehmigung durch den Verlag.
Printed in Germany

ISBN 3-86127-522-8

Inhalt

1 Warum Turnierreiten? — 8
Das Turnierpferd — 9

2 Voraussetzungen für den Turnierstart — 10
Der Reitausweis — 10
Altersklassen der Reiter — 13
Stammmitgliedschaft bei einem Reitverein — 13
Die LPO — 14
Das Aufgabenbuch — 14

3 Der Equidenpass — 15

4 Die Planung des Turnierstarts — 16
Ausschreibung der Turniere — 16
Die Nennung zum Turnier — 18
Die Zeiteinteilung — 20
Die Meldestelle — 22
Teilnehmer- und Pferdenachtrag — 23

5 Wann ist man gut genug für ein Turnier? — 24

Inhalt

6 Vorbereitung des Turnierstarts — 25
Die Abreitezeit einkalkulieren — 26

7 Welche Ausrüstung darf verwendet werden? — 27
Reiterausrüstung — 27
Hilfszügel — 28
Zäumung auf Trense — 29
Zäumung auf Kandare — 29
Zäumung beim Springen — 31
Weitere Ausrüstung und Zubehör — 32

8 Die Prüfungsart klären — 33
Dressurprüfungen — 33
Springprüfungen — 35
Reitpferdeprüfung — 39
Eignungsprüfung — 40

9 Transport des Pferdes — 41

10 Hufbeschlag — 45
Stollen — 45

11 Am Turnierplatz angekommen — 47
Parcours abgehen — 48
Vorbereitung des Pferdes — 49

12 Beim Springen — 52
Erster Starter — 53

13 Prüfungsreiten — 55
Dressurprüfungen — 55
Springprüfungen — 59

14 Platzierung — 61

15 Fehleranalyse und Korrektur — 63
Bei Dressurprüfungen — 63
Bei Springprüfungen — 64

16 Training des Turnierpferdes — 69
Trainingsplan — 69
Training des Dressurpferdes — 70
Training des Springpferdes — 74

17 Mentale Einstellung zum Turnierstart — 77
Warum mental trainieren? — 77
Meditation — 77
Zielsetzung — 78
Mentales Training zur Technikverbesserung — 78
Wettkampfeinstellung — 80

1 Warum Turnierreiten?

Sicherlich geht es beim Turnierreiten in erster Linie um den Wettkampf, das sportliche Messen mit anderen Teilnehmern. Allerdings sollte sich jeder Turniereinsteiger von Anfang an im Klaren sein, dass es sich hier um einen Sport handelt, den man mit dem Partner Pferd zusammen ausübt. Auch das Pferd muss mitmachen und Spaß an der Sache haben. Um dies zu erreichen, muss der Reiter sich und das Pferd optimal auf den Wettbewerb vorbereiten, was nicht nur die technische Ausführung der Dressurlektionen oder das Überwinden eines Hindernisparcours bedeutet.

Hierzu gehört auch das Vertrautmachen mit den Bestimmungen der Leistungsprüfungsordnung (LPO), das Verladen des Pferdes, Intervalltraining und mentale Vorbereitung auf die Prüfung. Neben den sportlichen Erfolgen ist das Turnierreiten auch eine Überprüfung der Ausbildung von Reiter und Pferd. Auf dem Turnier geben unabhängige Sachverständige (die Richter) ihr Urteil über den derzeitigen Leistungsstand von Reiter und Pferd ab. Dieses Urteil hilft dem Reiter festzustellen, ob sich die Ausbildung des Pferdes und seine eigene auf dem richtigen Weg befinden und woran er noch besonders arbeiten

Bei Turnierprüfungen wird die korrekte Ausbildung des Pferdes überprüft. Der Reiter soll Anhaltspunkte für die weitere Arbeit mit dem Pferd erhalten. Foto: C. Busch

muss. Außerdem wird in dieser Extremsituation das Vertrauen des Pferdes zum Reiter überprüft. Ob ein Pferd einen fremden Hindernisparcours überwindet oder in einem unbekannten Dressurviereck ohne Scheuen Dressurlektionen zeigt, hängt vor allem von dem Vertrauen des Pferdes zu seinem Reiter ab.

Das Turnierpferd

Um mit dem Turnierreiten beginnen zu können, ist es nicht unbedingt erforderlich, ein in der Regel sehr teures Turnierpferd mit überragenden Gängen und Springvermögen zur Verfügung zu haben. Für Reiter, die nur im heimischen Stall und eventuell auf kleineren Turnieren in den Klassen A und L starten wollen, sollte ein Pferd zur Verfügung stehen, das vor allem rittig ist. In diesen Prüfungen kommt es in erster Linie auf die Korrektheit der Vorstellung an und nicht auf den Ausdruck und den Gang oder das Vermögen des Pferdes. Zusätzlich darf man nicht unterschätzen, wie positiv man ein Pferd mit korrekter Gymnastizierung verändern kann. Die richtigen Muskeln lassen ein Pferd ganz anders aussehen und auch der Gang verbessert sich durch die korrekte, dressurmäßige Arbeit. Ein Pferd, das gut losgelassen und durchlässig vorgestellt wird, ist mir lieber als ein qualitativ hochwertigeres Pferd, das von seinem Reiter zusammengezogen und verspannt gezeigt wird.

Für höhere Dressuranforderungen kommt man nicht darum herum, ein wirklich talentiertes und veranlagtes Pferd zur Verfügung zu haben. Allerdings muss auch die reiterliche Basis stimmen, um ein solches Pferd auch auf Dauer gut zu erhalten. Für Dressurprüfungen der Klasse S oder Grand Prix muss ein Pferd sehr hohe Bewegungsqualität, Rittigkeit und vor allem ein gutes Interieur aufweisen. Was nützt ein Pferd, das zwar treten kann, aber die Lektionen nicht lernt oder auf dem Dressurviereck hypernervös ist.

Ein erfolgreiches Turnierpferd zeichnet sich vor allem durch sein Interieur aus. Es muss mitmachen und darf sich nicht von seiner Aufgabe ablenken lassen, auch wenn die Prüfung in Abteilung abgehalten wird. Foto: C. Busch

Dasselbe gilt natürlich auch für das Springpferd. Als Neueinsteiger sollte man sich hier auf jeden Fall von einem erfahrenen Reiter oder Ausbilder, dem man vertraut, beraten lassen, da es sehr schwierig ist, selbst zu beurteilen, ob ein Pferd wirklich für diese Aufgaben geeignet ist.

2 Voraussetzungen für den Turnierstart

Der Reitausweis

Unser Turniersystem ist so gegliedert, dass man nicht sofort in die höchsten Klassen einsteigen kann. Sozusagen als Schnupperprüfungen werden die Prüfungen der Kategorie C (für Einsteiger) angeboten. Hier gibt es ein verschiedenartiges Prüfungsangebot für Jugendliche und Erwachsene. Von Reiterspielen, Führzügelwettbewerben, Wettbewerben über das Herausbringen oder Verladen von Pferden bis hin zu E-Dressuren, E-Springen und E-Stilgeländeritten wird alles angeboten. Zur Teilnahme in diesen breitensportlichen Disziplinen braucht man noch keinen Reitausweis.

Ab der Kategorie B wird der Reitausweis benötigt. Um diesen zu erlangen, muss man den Basispass und das kleine Reitabzeichen Klasse IV bestanden haben. Hier wird eine E-Dressur und ein E-Stilspringen sowie theoretisches Wissen verlangt. Mit der Abzeichenurkunde kann man bei der FN (Deutsche Reiterliche Vereinigung in Warendorf) den Reitausweis für die Leistungsklasse 6 beantragen. Mit der Klasse 6 kann man in allen Prüfungen der Kategorie C und in den Prüfungen A der Kategorie B starten. Eine Höherstufung aus der Klasse 6 ist nur durch das Ablegen des Bronzenen Reitabzeichens möglich. Hierbei muss eine A-Dressurreiterprüfung und ein A-Stilspringen mindestens mit den Wertnoten 5,0 absolviert werden sowie erweitertes theoretisches Wissen vorhanden sein. Für Reiter, die mindestens das 22. Lebensjahr erreicht haben, besteht auch die Möglichkeit, eine Ab-

In Prüfungen wie der Führzügelklasse für die ganz Kleinen kommt es vor allem auf den korrekten Sitz des Reiternachwuchses an. Foto: B. Künzel

Auch das Herausbringen des Pferdes oder Ponys wird zur Beurteilung herangezogen. Die Kinder sollen lernen, ihr Pferd ordentlich zu präsentieren. Foto: W. Ernst

zeichenprüfung nur in der Disziplin Dressur oder Springen abzulegen. Hier muss dann jeweils eine Prüfung der Klasse L erfolgreich bewältigt werden. In diesem Fall kann der Reitausweis nur in der bestandenen Disziplin ausgestellt werden. Man kann also auf dem Turnier später ausschließlich Dressur oder Springen reiten. Um die Leistungsklasse 5 eingetragen zu erhalten, muss seit dem 01.01.2000 zusätzlich zum bestandenen Reitabzeichen noch eine Lizenzprüfung absolviert werden. Dies bedeutet, dass man mit seiner bisherigen Leistungsklasse 6 jeweils in einer A-Dressur und einem A-Stilspringen (bei Spezifikation nur eine Disziplin) auf dem normalen Turnier mindestens die Wertnote 5,0 erhält. Dieses Ergebnis lässt man sich dann auf dem Turnier von einem Richter dieser Prüfung in sein Abzeichenheft eintragen und kann damit und mit der Reitabzeichen-Klasse-III-Urkunde den Reitausweis der Leistungsklasse 5 beantragen. Mit der Leistungsklasse 5 kann man in allen Prüfungen Klasse A und L starten. Für die Erlangung der Leistungsklasse V3 für das Vielseitigkeitsreiten muss bei der Lizenzprüfung ein A-Stilgeländeritt abgelegt werden. Mit der Leistungsklasse 5 kann man jedoch nicht mehr in der Kategorie C starten. Die Höherstufung aus der Leistungsklasse 5 erfolgt aufgrund von Turniererfolgen oder fortführenden Leistungsprüfungen. Um von der Leistungsklasse 5 in die nächsthöhere Klasse 4 aufzusteigen, benötigt man 5 Platzierungen an erster bis dritter Stelle in Klasse A und eine beliebige Platzierung der Klasse L beziehungsweise drei beliebige L-Platzierungen. Wer diese Mindestplatzierungen vorweisen kann, wird zum Jahreswechsel automatisch in die Leistungsklasse 4 eingestuft.

Sollten über zwei Jahre keine entsprechenden Platzierungen mehr nachfolgen, fällt der Reiter zurück in die niedrigere Leistungsklasse. Beim Erwerb des Silbernen Reitabzeichens steht es einem frei, sich in die Leistungsklasse 4 einstufen zu lassen. Man kann dies auf dem Antrag zum Reitausweis jedes Jahr erneut wählen.

Voraussetzungen für den Turnierstart

Leistungsklassen 2000: *Dressur*
Einstufung und Startberechtigung

Prüfungsklasse							
S					1 x 1.-w. Kl.S oder 3 x 1.-w. Kl.M/A, B oder 5 x 1.-3. Kl. L und 1 x 1.-w. Kl.M/A, B	3 x 1.-w. Kl.S oder 3 x 1.-3. Kl.M/A und 1 x 1.-w. Kl.S	20 x 1.-3. Kl.S oder 5. x 1.-5. Grand Prix, Grand Prix Special, Grand Prix Kür
M / A				1 x 1.-w. Kl.M/A, B oder 3 x 1.-w. Kl.L oder 5 x 1.-3. KL.A und 1 x 1.-w. Kl.L oder 1 x 1.-w. Viels. Kl.S/M oder 2 x 1.-w. Viels. Kl.L			
M / B							
L			Reiter im Besitz eines gültigen Reitausweises mit Leistungsklassenvermerk D5				
A		Reiter im Besitz eines gültigen Reitausweises mit Leistungsklassenvermerk D6					
E + Kat.C WB	Reiter ohne Besitz eines gültigen Reitausweises						
zusätzlich auf Anfrag	./.	./.	./.	Pferdewirt(FN)-Reiten /Bereiter (FN) Trainer A /Amateurreitlehrer DRA I DRA II DRA II (Dressur)	Pferdewirtsch.meister-Schwpkt. Reitausbildg. /Berufsreitlehrer(FN) DRA in Gold DRA I DRA I (Dressur)	DRA in Gold	
Leistungsklasse	0	6	5	4	3	2	1

Leistungsklassen 2000: *Springen*
Einstufung und Startberechtigung

Prüfungsklasse							
S					1 x 1.-w. Kl.S oder 3 x 1.-w. Kl.M/A, B oder 5 x 1.-3. Kl. L und 1 x 1.-w. Kl.M/A, B	6 x 1.-w. Kl.S oder 6 x 1.-3. Kl.M/A und 1 x 1.-w. Kl.S	25 x 1.-3. Kl.S oder 1. x 1.-5. in einem Großen Preis bei einem CSI (Kat.A) bzw. CSIO
M / A				1 x 1.-w. Kl.M/A, B oder 3 x 1.-w. Kl.L oder 5 x 1.-3. KL.A und 1 x 1.-w. Kl.L oder 1 x 1.-w. Viels. Kl.S/M oder 2 x 1.-w. Viels. Kl.L			
M / B							
L			Reiter im Besitz eines gültigen Reitausweises mit Leistungsklassenvermerk S5				
A		Reiter im Besitz eines gültigen Reitausweises mit Leistungsklassenvermerk S6					
E + Kat.C WB	Reiter ohne Besitz eines gültigen Reitausweises						
zusätzlich auf Anfrag	./.	./.	./.	Pferdewirt(FN)-Reiten /Bereiter (FN) Trainer A /Amateurreitlehrer DRA I DRA II DRA II (Springen)	Pferdewirtsch.meister-Schwpkt. Reitausbildg. /Berufsreitlehrer(FN) DRA in Gold DRA I DRA I (Springen)	DRA in Gold	
Leistungsklasse	0	6	5	4	3	2	1

Zur Einstufung in eine höhere Leistungsklasse zählen die Platzierungen des letzten Jahres bis zum 31.09. und die Platzierungen des Vorjahres.

Altersklassen der Reiter

Das Alter des Reiters stuft ihn automatisch in eine bestimmte Altersklasse ein. Junioren (JUN) werden im laufenden Kalenderjahr höchstens 18 Jahre alt. Junge Reiter (JR) werden mindestens 19, jedoch höchstens 21 Jahre alt. Sie sind die Übergangsstufe zu den Reitern (REI), die den größten Anteil am Turniergeschehen ausmachen und damit die schwierigste Klasse darstellen. Reiter sind mindestens 21 und höchstens 39 Jahre. Junge Reiter können sich freiwillig in die Altersklasse Reiter einstufen lassen. Dies ist manchmal aus taktischen Gründen für Meisterschaften oder Kaderberufungen von Vorteil. Die Entscheidung kann jedes Jahr neu getroffen werden. Schließlich gibt es noch die 2000 neu eingeführte Altersklasse der Senioren mit mindestens 40 Jahren. Eine freiwillige Einstufung der Senioren in die Klasse der Reiter ist nach neuem Reglement nun nicht mehr möglich. In einigen Ausschreibungen wird zwischen Berufsreitern und Amateuren unterschieden. Eine eindeutige Einstufung in den Bereich Professional gibt es bei den Reitern nicht mehr. Der Fairness halber sollten alle, die ihr Geld mit dem Pferdesport verdienen, auch wenn

Gerechterweise werden Turnierprüfungen häufig so ausgeschrieben, dass Junioren und Erwachsene in getrennten Prüfungen oder Abteilungen reiten.
Foto: A. Schmelzer

sie keine Berufsreiterprüfung absolviert haben, in den Amateurprüfungen nicht starten. Allerdings ist es ein Trugschluss, dass die Konkurrenz bei den Amateuren nicht so groß ist. Auch hier gibt es sehr viele hoch qualifizierte Reiter und meist haben sie auch das nötige Kleingeld, um sich hervorragende Pferde leisten zu können. Sie sind auch im Gegensatz zu den Berufsreitern nicht darauf angewiesen, diese Pferde immer wieder weiterzuverkaufen.

Stammmitgliedschaft bei einem Reitverein

Um den Reitausweis zu erhalten, müssen Sie Mitglied in einem Reitverein sein. Bei mehreren Mitgliedschaften müssen Sie sich entscheiden, unter wessen Namen Sie in der kommenden Turniersaison starten wollen. Dort ist dann Ihre Stammmitgliedschaft. Sie kann jedes Jahr neu und mit einer Wartefrist (bei Umzug oder Ähnlichem ohne Wartezeit) auch während des Jahres gewechselt werden. Auf dem Antrag zum Reitausweis müssen Stempel und Unterschrift Ihres Reitvereines eingetragen werden. Mit dem Reitausweis bekommen Sie dann von der FN Ihr Nennungsscheckheft übersandt, in das Sie die Aufkleber des genannten Pferdes einkleben können. Per Nachnahme kann Ihnen von der FN auch gleich die LPO übersandt werden.

Voraussetzungen für den Turnierstart

Die LPO

Die Leistungsprüfungsordnung ist das Regelwerk für Wettbewerbe und Prüfungen im Pferdesport. Man kann sie in allen Reitsportgeschäften oder auch Buchhandlungen (Herausgeber FN, Reiterliche Vereinigung Warendorf) kaufen. In der LPO sind alle Regeln für das Reiten von Turnierprüfungen festgelegt. Allerdings ist es nicht ganz leicht, immer sofort die richtigen Paragraphen zu finden, wenn ein Problem auftaucht. Sie ähnelt einem Gesetzbuch, was für die Sache ja auch sicherlich nützlich ist, für den Einsteiger aber dennoch schwer verständlich. Trotzdem sollte jeder Turnierreiter eine LPO besitzen, um zum Beispiel bei der Nennung zu einem Turnier entsprechend der in der Ausschreibung angegebenen Paragraphen die genaue Prüfungsart und die Beurteilungskriterien herausfinden zu können. Auch Regelungen über Fristen, Ausschlüsse oder Geldpreise können interessant sein.

Tipp

Es empfiehlt sich, die LPO einmal komplett durchzulesen, um einen Überblick zu bekommen.

Das Aufgabenbuch

In der LPO ist die zulässige Ausrüstung für eine Turnierprüfung geregelt. Aus dem Aufgabenbuch kann man die korrekte Ausführung von Hufschlagfiguren und Lektionen entnehmen.
Foto: C. Busch

Das Aufgabenbuch ist eine interessante Lektüre für den Turnierreiter, da hierin alle Kriterien für die Ausführung von Dressurlektionen sowie den Sitz und die Einwirkung in Dressur- und Springprüfungen beschrieben sind. Im ersten Teil erhalten Sie eine ausführliche Schilderung, wie die Richter die Ausführung einer Aufgabe sehen möchten. Weiter hinten sind die einzelnen Dressuraufgaben von der Klasse E bis zum Grand Prix beschrieben. Außerdem werden Richtlinien für bestimmte Prüfungsarten, wie Dressur- oder Springreiterprüfungen, Dressur- oder Springpferdeprüfungen und Richtlinien zur Zusammenstellung und dem Reiten einer Kür beschrieben. Dressurprüfungen sind entweder auswendig zu reiten oder man bringt einen eigenen Vorleser mit, der am Viereck steht (möglichst korrekt gekleidet) und die Aufgabe laut vorliest, wenn in der Ausschreibung nichts anderes bestimmt ist. Für Aufgaben, die zu zweit oder zu mehreren geritten werden, muss der Veranstalter einen Kommandogeber bereitstellen.

Der
Equidenpass

Bei einer Pferdekontrolle nach der Prüfung wird unter anderem der aktuelle Impfschutz des Pferdes kontrolliert. Der Reiter muss hierzu den Equidenpass oder den Impfpass mitführen. Foto: A. Busch

Nicht nur der Reiter benötigt einen Ausweis für den Turnierstart. Auch für das Pferd, mit dem man auf Turnieren starten möchte, muss laut neuen EU-Richtlinien bei allen Transporten (eigentlich schon bei jedem Verlassen der Stallungen, auch bei einem Ausritt) der Equidenpass mitgeführt werden.

In diesem Pass sind alle Daten des Pferdes enthalten, und es kann eindeutig identifiziert werden. Das Turnierpferd erhält diesen Pass und Aufkleber, mit denen man es automatisch zum Turnierstart nennen kann. In der Kategorie C sind Aufkleber noch nicht notwendig. Im Equidenpass muss auch der aktuelle Stand des Impfschutzes des Pferdes vermerkt sein. Sollten nicht alle Impfungen im Pass vermerkt sein, müssen Sie zusätzlich den Impfpass des Pferdes mitführen. Jedes Turnierpferd muss eine abgeschlossene Influenzagrundimmunisierung vorweisen. Eine Impfung gegen Tetanus sollte selbstverständlich sein.

4 Die Planung des Turnierstarts

Ausschreibung der Turniere

Die Turnierausschreibungen werden in jedem Bundesland in einem speziellen Reitsportfachblatt veröffentlicht. Sie können sich in den Reitsportgeschäften oder bei Ihrem Reitverein erkundigen, wo für Ihr Bundesland die entsprechenden Veröffentlichungen abgedruckt werden. Überregionale Prüfungen der Kategorie A werden im FN-Kalender veröffentlicht, dieser ist über die FN zu beziehen, aber für Turniereinsteiger uninteressant. In der Ausschreibung ist das genaue Datum der Veranstaltung, der Nennungsschluss, eine vorläufige Zeiteinteilung, die Adresse, an die die Nennung zu senden ist, eine Telefonnummer für Nachfragen zum Turnier, die einzelnen Prüfungen mit ihren jeweiligen Anforderungen, zum Beispiel auf Kandare zu reiten, Springen mit Stechen oder eine Qualifikationsprüfung, um in einer höheren Prüfung starten zu können, angegeben. Weiterhin müssen die zum Turnier eingeladenen Bereiche angegeben sein, wie etwa einzelne Vereine, Städtekreise, Regionen, Kreisreiterverbände oder Bundesländer. Hier kommt es auf den Sitz Ihres Stammvereines an. Sie können nur starten, wenn Ihr Stammverein oder dessen Kreis, Stadt oder Region eingeladen sind. In den unteren Kategorien sind die Bezirke meist sehr eingeschränkt, um nicht zu hohe Starterzahlen zu erzielen, die dann den Ablauf des Turniers beeinträchtigen. Dies ist also auch im Interesse des Reiters.

Wenn Sie kaum Startmöglichkeiten haben, sollten Sie vielleicht über eine Änderung Ihrer Stammmitgliedschaft nachdenken. Große Vereine, die selbst Turniere veranstalten, werden von anderen Vereinen öfter eingeladen als kleine, die kein eigenes Turnier durchführen.

Wettbewerbe der Kategorie C sind meist nur im nahen Umkreis ausgeschrieben. Nahe liegende Reitvereine laden sich gegenseitig ein. Foto: C. Busch

Sie können in jedem beliebigen Verein starten, allerdings sollte der Verein nicht zu weit von Ihrem Pferdestall entfernt sein, da Sie sonst zu weite Anfahrten zu den Turnieren haben.

Tipp

Übrigens steht es dem Veranstalter frei, zu seinem Turnier 15 persönliche Gäste zu laden (er muss es nicht!). Oft kann man, wenn man rechtzeitig nach Veröffentlichung einer Turnierausschreibung beim entsprechenden Veranstalter anruft und freundlich nachfragt, ob man nicht zusätzlich als geladener Gast starten darf, weil das Turnier so günstig liegt, auf die Liste der Gäste gesetzt werden. Man kann dann unter denselben Bedingungen wie ein eingeladener Teilnehmer dort starten. (Handicaps wie zum Beispiel für Veranstaltermitglieder entfallen damit nicht!). Ein kleines Dankeschön, das man auf die Nennung schreibt für die zusätzliche Einladung, animiert den Veranstalter, hier auch in Zukunft kooperativ zu sein.

Die Ausschreibung enthält dann eine Auflistung der einzelnen Prüfungen, die angeboten werden. Hier ist angegeben, welche Pferde starten dürfen, welche Reiteraltersklassen, Handicaps und unter Ausrichtung (Ausr.) und Richtverfahren (Richtv.) nach welchen Paragraphen der LPO die Prüfung durchgeführt wird, sowie der zu zahlende Einsatz. Die Startfolge (SF) richtet sich nach dem Anfangsbuchstaben des Reiterfamiliennamens. Angegeben wird auch die verlangte Mindestzahl der Nennungen (VN).

Jeder Turnierveranstalter gibt auch in der Ausschreibung die für sein Turnier geltenden besonderen Bestimmungen bekannt. Auf manchen Turnieren dürfen keine Hunde frei laufen oder darf man in jeder Prüfung nur ein Pferd reiten (wenn nichts anderes angegeben, immer drei Pferde). Es werden Stallungen zur Verfügung gestellt oder die Meldeschlüsse werden allgemein auf 1,5 Stunden ausgedehnt. Sie sollten also auf jeden Fall die Bestimmungen des jeweiligen Turniers durchlesen und für Sie Relevantes für den Turniertag markieren, um es nicht zu vergessen. In der Ausschreibung sind außerdem bereits die Richter, der Parcourschef und der LK-Beauftragte angegeben.

Tipp

Eine von einem Richter erhaltene, Ihrer Meinung nach schlechte Note, sollte Sie nicht davon abhalten, erneut bei diesem Richter zu starten. Aus meiner eigenen Richtererfahrung kann ich sagen, dass meine Kollegen alle objektiv sind. Wenn dennoch Unstimmigkeiten über eine Wertnote entstehen, ist das meist eine divergierende Betrachtungsweise des Richters und des Reiters. Außerdem richten in den unteren Klassen stets zwei Richter gemeinsam. Eine neue Richtergruppierung kann zu ganz anderen Ergebnissen kommen. Und schließlich können sich Richter unmöglich an die Noten erinnern, die sie an die vielen Reiter vergeben, die sie auf jedem Turnier zu sehen bekommen. Man hat bei der Anzahl von Star-

Die Planung des Turnierstarts

tern kaum die Zeit, sich Namen oder Gesichter einzuprägen. Vertrauen Sie darauf, wenn Sie noch nicht Meistertitel oder Ähnliches errungen haben, werden sich die Richter kaum an Sie und noch weniger an Ihre bisherigen Leistungen erinnern. Es gilt also: Neuer Start, neues Glück!

Im Laufe der Turnierreiterei kommt man bei verschiedenen Richtern immer mal besser oder mal schlechter weg. Wer konstant gut reitet, wird aber auch Erfolg ernten, denn Qualität setzt sich durch! Foto: C. Busch

Die Nennung zum Turnier

WICHTIG:
1. Für jeden Teilnehmer ist ein eigenes Formular zu verwenden.
2. Alle Pferde/Ponys müssen gegen Influenza-Viren geimpft sein (vgl. § 66.3.10 LPO und entsprechende Durchführungsbestimmungen). Die Kontrolle des Impfschutzes durch den Tierarzt kann während der PS/PLS jederzeit erfolgen. Dafür ist der Impfpass bzw. Pferdepass mitzuführen.

NENNUNGSFORMULAR KAT. C (unbedingt zu verwenden ab 1.1. 2000)

Angaben zum 1. Pferd/Pony /Aufkleber bei FN-eingetragenen Pferden/Ponys:
- Name des Pferdes/Ponys.:
- Geburtsjahr: Geschlecht: Farbe:
- Zuchtgebiet: Vater: Stockmaß:
- Besitzer (Name, Wohnort):
- (Dieses Pferd/Pony startet hier noch zusätzlich mit dem Teilnehmer:
- Geburtsjahr: LKl.: ☐ auch in Kat. B)

Angaben zum 2. Pferd/Pony /Aufkleber bei FN-eingetragenen Pferden/Ponys:
- Name des Pferdes/Ponys.:
- Geburtsjahr: Geschlecht: Farbe:
- Zuchtgebiet: Vater: Stockmaß:
- Besitzer (Name, Wohnort):
- (Dieses Pferd/Pony startet hier noch zusätzlich mit dem Teilnehmer:
- Geburtsjahr: LKl.: ☐ auch in Kat. B)

Mit der Abgabe der Nennungen werden zugleich für alle an der Turnierteilnahme der Pferde beteiligten Personen (z.B. Besitzer, Ausbilder, Reiter/Fahrer, Pfleger) die LPO, die Besonderen Bestimmungen der Landeskommission, die Ausschreibung sowie die für diese Veranstaltung gültigen Allgemeinen und Besonderen Bestimmungen als verbindlich anerkannt.

X
Tag/Unterschrift des Nenners/gesetzlichen Vertreters bei Minderjährigen

Zur PS/PLS am: in:

Hier bitte in den jeweiligen Prüfungen die Anzahl der gewünschten Starts eintragen!

1 2 3 4 5 6 7 8 9 10
11 12 13 14 15 16 17 18 19 20
21 22 23 24 25 26 27 28 29 30
31 32 33 34 35 36 37 38 39 40
41 42 43 44 45 46 47 48 49 50
51 52 53 54 55 56 57 58 59 60

Hier die Gesamtzahl der genannten **Starts** eintragen

Angaben zum Teilnehmer:
- Name: Vorname:
- Strasse: PLZ:
- Wohnort: Tel.: LKl.:
- Geburtsdatum: Stamm-Mitglied im RV:
- ggf. Reitausweisnr.:

Scheck für Einsätze, Förderbeitrag pro Start, evtl. Stallgeld liegt bei in Höhe von _____ ☐ DM ☐ Lux Fr ☐ Euro (zutreffende Währung bitte ankreuzen)

Die Richtigkeit der gemachten Angaben wird versichert: X
Unterschrift des Nenners/gesetzlichen Vertreters bei Minderjährigen

Die meisten Turnierveranstalter akzeptieren Nennungen der Kategorie C nur auf einheitlichen Nennungsformularen.

Kategorie C

Für Starts in der Kategorie C brauchen Sie noch keinen Nennungsscheck auszufüllen. Allerdings dürfen Nennungen zu diesen Prüfungen nur mit einem gültigen Nennungsformular für Wettbewerbe der Kategorie C vorgenommen werden. Diese Formulare kann man entweder dem Ausschreibungsheft entnehmen, in dem auch die Turnierausschreibung veröffentlicht wird, man kann sie aus dem FN-Handbuch Pferdesport kopieren, das in jedem Verein vorliegt oder man bekommt sie von der Landeskommission.

Kategorie B und A

Für Prüfungen der Kategorien B und A muss ein Nennungsscheck des Reiters ausgefüllt werden. Im Nennungsscheckheft des Reiters sind die Stammnummer des Reiters, seine Leistungsklassen in den verschiedenen Disziplinen (zum Beispiel Dressur D5, Springen S5 und Vielseitigkeit V6), seine Stammmitgliedschaft, Adresse, Altersklasse und die Ranglistenpunkte vermerkt. Die Ranglistenpunkte ergeben sich aus den in den letzten Jahren errittenen Platzierungen. Sie sind ein zusätzliches Teilungskriterium neben der Leistungsklasse. Auf dem Nennungsscheck des Reiters stehen sie unmittelbar neben den Leistungsklassen für die verschiedenen Disziplinen sowie die höchste errittene Platzierung, zum Beispiel D5/3/A ein dritter Platz in der A-Dressur. Ranglistenpunkte erhält man beispielsweise in der A-Dressur für den ersten Platz 7 mal 1 Punkt, den zweiten Platz 5 mal 1 Punkt, für den dritten Platz 4 mal 1 Punkt und so fort. Die Leistungsklasse und die Ranglistenpunkte berechnen sich jeweils aus den Erfolgen des vorletzten Jahres und des letzten Jahres bis zum 30. September. Eine Auflistung der Vergabe der Ranglistenpunkte wird in der Verbandszeitschrift veröffentlicht oder kann von der LK angefordert werden.

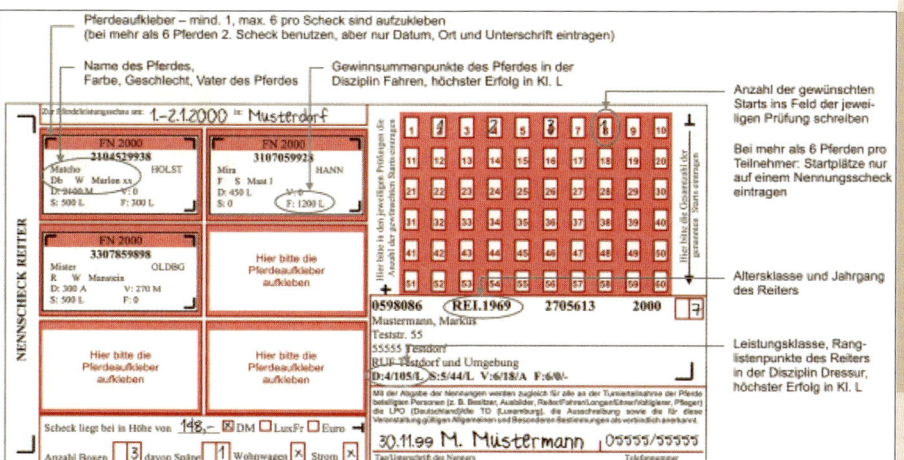

Nach bestandenem Reitabzeichen kann der Reiter Nennungsformulare bei der FN anfordern. Für Starts in der Kategorie B und A müssen dort ebenfalls Aufkleber für das Pferd beantragt werden.

Auf dem Nennungsscheck werden Ort, Datum der Veranstaltung sowie Telefonnummer des Nenners angegeben. Weiter müssen Sie Startplätze für die Prüfungen reservieren, die Sie auf dem Turnier reiten wollen. Gemäß der LPO 2000 ist es nicht mehr notwendig, bereits bei der Nennung festzulegen,

Die Planung des Turnierstarts

welches Pferd Sie in welcher Prüfung starten wollen. Sie können die Felder auf der linken Seite mit bis zu sechs Pferdeaufklebern füllen, die Sie dann beliebig in den rechts angekreuzten Prüfungen starten können. Haben Sie mehr als sechs Pferde zu nennen, benutzen Sie einen weiteren Nennungsscheck. Hier wird dann allerdings nur noch der Ort, das Datum und die Unterschrift eingetragen. Die Pferdeaufkleber können Sie mit dem Überweisungsvordruck hinten im Scheckheft nachfordern. Zusätzlich ist hier eine Fortschreibung für die nächste Turniersaison bereits vorbereitet. Sie müssen nur noch die Gebühr überweisen. Die Pferdeaufkleber müssen auf die erste Seite und auf den Durchschlag für die FN geklebt werden. Die Nummern der Kästchen auf der rechten Seite entsprechen den Nummern der Prüfungen in der Ausschreibung. Hier tragen Sie die Anzahl der gewünschten Startplätze (pro Prüfung und Reiter maximal drei) deutlich ein. Unten rechts wird dann die Gesamtzahl der Startplätze zusammengezählt. Im unteren Bereich des Schecks ist noch die Höhe der Startgelder einzutragen. Der zu zahlende Einsatz beziehungsweise ab Kategorie A das Nenn- und das Startgeld sind in der Ausschreibung verzeichnet. Wenn Sie mit Ihrem Pferd auf dem Turnierplatz übernachten möchten, müssen Sie dies ebenfalls hier vermerken und die fällige Summe für Box oder Wohnwagenstellplatz mit auf den beizufügenden Scheck schreiben.

Nennscheck, Durchschrift und Verrechnungsscheck werden an den Veranstalter gesandt. Bargeld sollte nicht übersandt werden. Die Nennung muss spätestens mit Poststempel des Nennungsschlusses beim Veranstalter eingehen, damit sie berücksichtigt wird. Im Normalfall ist dies etwa vier Wochen vor dem Turnier. Welches Pferd von den Aufgeklebten Sie starten wollen, müssen Sie erst bei der Meldung der Prüfung bekannt geben. Für jedes genannte Pferd kann auch zusätzlich noch ein Pferdetausch vorgenommen werden.

Tipp

In den meisten Bundesländern ist zu jedem reservierten Startplatz noch eine LK-Abgabe zu entrichten. Diese ist auch vorab zu zahlen, wenn Sie Prüfungen nennen, denen eine Qualifikation vorausgeht und Sie das Startgeld nur bezahlen müssen, wenn Sie tatsächlich starten dürfen.

Die Zeiteinteilung

In der Ausschreibung wird bereits in einer vorläufigen Zeiteinteilung angegeben, welche Prüfungen an welchen Tagen stattfinden. In der endgültigen Zeiteinteilung, die der Starter eine Woche vor dem Turnier zugesandt bekommt, ist der endgültige Zeitplan festgelegt. Bei großen Starterfeldern kann das Turnier um einen Tag vor oder nach dem ursprünglichen Termin ausgedehnt werden. Prüfungen für Jugendliche dürfen maximal auf den

Freitag Nachmittag vorverlegt werden. In der Zeiteinteilung sind weiterhin die Meldeschlüsse für die einzelnen Prüfungen angegeben. In der Regel ist dies eine Stunde vor Beginn der Prüfung oder einer jeweiligen Abteilung der Prüfung. Beginnt eine Prüfung zeitig in der Früh, kann der Meldeschluss auch auf den Vorabend vorverlegt werden. Bis zu diesem Zeitpunkt müssen Sie spätestens persönlich an der Meldestelle oder unter einer angegebenen Telefonnummer Ihre Startbereitschaft angemeldet haben. Hierzu müssen Sie die Prüfungsnummer und das zu startende Pferd angeben. Vereinzelt ist auf einigen Turnieren auch bereits das Melden per Telefax oder Internet möglich, da die telefonische Meldung mit nur einem Telefonanschluss oft mühsames Anwählen einer ständig belegten Nummer für den Reiter bedeutet. Sie sollten sich bei der Meldung am Telefon deshalb auch möglichst kurz fassen.

Tipp

Übrigens kann eine Prüfung bis zu einer halben Stunde vorverlegt werden, wenn sich dies während des Tages ergibt. Sie als Reiter sind verpflichtet, so pünktlich anwesend zu sein, dass Sie bei einer Vorverlegung rechtzeitig starten können.

Weiterhin sind in der Zeiteinteilung die Kopfnummern der von Ihnen genannten Pferde angegeben. Diese können Sie dann bereits rechts und links (in der LPO ist festgelegt, dass die Nummern beidseitig getragen werden müssen) am Zaumzeug des Pferdes oder an der Satteldecke befestigen. Diese Nummern können auf dem Turnier nicht erstanden werden. Sie müssen sie im Vorfeld in einem Reitsportgeschäft kaufen. Die Nummern kann man verstellen und immer wieder verwenden.

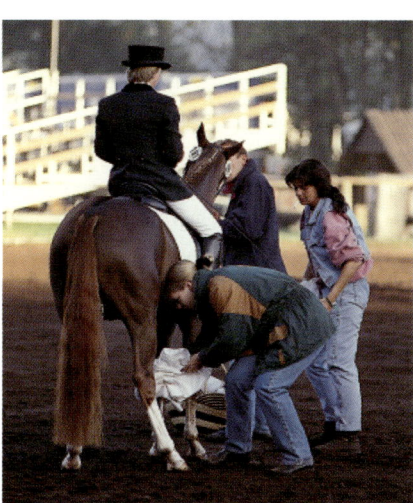

Sie sollten sich angewöhnen immer so rechtzeitig am Turnierplatz anzukommen, dass Sie auch bei einer Vorverlegung der Prüfung um eine halbe Stunde früh genug dran sind. Foto: P. Prohn

Während des gesamten Turnieraufenthaltes muss jedes Pferd mit einer beidseitig getragenen Kopfnummer kenntlich gemacht werden, um es im Falle eines Unfalles oder Ähnlichem identifizieren zu können. Foto: P. Prohn

Die Planung des Turnierstarts

Aus der Zeiteinteilung können Sie auch den Startbuchstaben erfahren, mit dem die Prüfung beginnt (dieser wird aus einem jährlich veröffentlichten Buchstabenschema entnommen). Der Anfangsbuchstabe, mit dem Ihr Nachname beginnt, ist ausschlaggebend, an welcher Stelle der Prüfung Sie starten. Aber Achtung, wenn Reiter mehrere Pferde in dieser Prüfung starten, werden deren Startzeiten verlegt und dadurch können sich Verschiebungen ergeben. Sie sollten also auf jeden Fall rechtzeitig vor Ort sein, denn nichts ist unangenehmer als ein schlechtes Ergebnis, weil man einfach zu spät dran war. Wenn Sie selbst mehrere Pferde starten möchten, ist es sinnvoll, die Meldestelle noch einmal daran zu erinnern, dass Ihr erster Start laut LPO um etwa acht Pferde vorverlegt werden muss, damit Sie genügend Zeit haben, das zweite Pferd für den Start vorzubereiten. Manchmal wird dies übersehen und Sie müssen dann kurz vor dem Start noch eine Änderung der Starterliste beantragen, was die Meldestelle sicher nicht erfreuen wird und Zeit kostet. Bei einer Verlegung wegen Mehrstarts ist das Meldestellenpersonal angehalten, den ersten Start möglichst nach vorne zu verlegen. Muss nach hinten verlegt werden, sollte der Reiter nicht an die letzte Stelle gelegt werden, um ihm keine eventuellen Vorteile (zum Beispiel in einer Springprüfung, wenn man weiß, wie viele Nullrunden es bis dahin gibt) zu verschaffen. Die Verlegung erfolgt also nicht willkürlich durch die Meldestellendamen oder -herren.

Tipp

Wenn der Meldeschluss am Vorabend eines Turniers ist und Sie ziemlich am Anfang drankommen, können Sie versuchen, am Ende der vorgegebenen Meldezeit nochmals anzurufen und zu erfragen, an welcher Stelle Sie starten müssen. Oft erlebt man hier Überraschungen und kann eine Fehlkalkulierung der Anfahrtszeit verhindern.

Die Meldestelle

Die Meldestelle ist auf jedem Turnier der Ort, den Sie als Erstes ausfindig machen sollten. Hier werden unmittelbar nach dem Meldeschluss für eine Prüfung die Starterlisten ausgehängt. Hier können Sie feststellen, an welcher Stelle Sie starten und wie viel Zeit Sie bis zum Abreiten einkalkulieren müssen. Auch die Startnummern für die Pferde sind auf den Listen vermerkt.

An der Meldestelle werden auch die Ergebnislisten ausgehängt, auf denen man sehen kann, wer in welcher Prüfung platziert wurde. Besonders wichtig ist auch ein eventueller Aushang am schwarzen Brett, wenn sich ein Prüfungsbeginn nach vorne oder hinten verschiebt. Dies muss zwar auch über Lautsprecher mitgeteilt werden, aber sicherer ist es, im Laufe eines Turniertages immer wieder an der Meldestelle vorbeizuschauen. Sollten Sie Ihre Nenngebühr versehentlich nicht ausreichend bezahlt haben, wird auch dieses hier zu sehen sein.

Die Meldestelle ist die erste Anlaufstelle am Turnierplatz. Hier erhalten Sie alle für Sie wichtigen Informationen zum Turnierablauf. Foto: C. Busch

Am schwarzen Brett der Meldestelle muss auch veröffentlicht werden, welcher der anwesenden Richter der LK-Beauftragte ist. Dies wurde zwar bereits in der Ausschreibung mitgeteilt, ist aber meistens von den Reitern bis zum Turnier schon wieder vergessen. Der LK-Beauftragte ist der Vertreter der LK (Landeskommission für Ihr jeweiliges Bundesland) und der FN. Er hat die endgültige Entscheidungsgewalt in allen Fragen des Turnierablaufes. Weiterhin muss eine Liste der persönlich geladenen Gäste am schwarzen Brett ausgehängt werden. Für Springprüfungen wird an der Meldestelle und im Bereich des Springplatzes die Parcoursskizze für die laufende und die nächste Prüfung, soweit fertiggestellt, veröffentlicht.

Teilnehmer- und Pferdenachtrag

Der bisherige Pferdetausch entfällt ab 2001 zugunsten des Teilnehmernachtrags. Ein genannter Teilnehmer übernimmt den reservierten Startplatz eines anderen Teilnehmers auf einem bereits genannten Pferd. Ist der neue Reiter noch nicht zu der Veranstaltung genannt und muss neu aufgenommen werden, wird für die Neuerfassung ein Betrag von einmalig DM 40,- erhoben. Für weitere Starts muss nichts mehr nachbezahlt werden.

Der bisherige Pferdetausch entfällt ebenfalls. Ein bereits genannter Teilnehmer kann jederzeit neue Pferde zum Turnier mitbringen. Jedes neue Pferd erhält eine Kopfnummer und kann von allen genannten Teilnehmern zu ihren reservierten Startplätzen wie ein ordnungsgemäß genanntes Pferd beliebig eingesetzt werden. Für jedes neue Pferd ist an der Meldestelle ein gültiger Aufkleber abzugeben und der gültige Pferdepass vorzulegen. Die Gebühr für den Nachtrag beträgt pro Pferd DM 40,-. Entsprechendes gilt selbstredend auch für den Kategorie C-Bereich.

Nennungsnachtäge für Nennungen, die nicht fristgerecht zum Nennschluss eingegangen sind, sind grundsätzlich nur mit dem Einverständnis des Veranstalters über die FN möglich. In Ausnahmefällen ist eine nachträgliche Bestätigung der FN nach dem Turnier möglich. Bis Donnerstag Morgen vor dem Turnierwochenende bei der FN eingehende Anträge auf Nennungsbestätigung, die spätestens bis Meldeschluss von der FN bearbeitet und bestätigt sind, werden mit einer Gebühr von DM 20,- pro reserviertem Startplatz belegt. Nach dem Turnier von der FN bestätigte Nennungen kosten DM 40,- je reserviertem Startplatz.

5 Wann ist man gut genug für ein Turnier?

Mit dem Turnierreiten sollten Sie erst beginnen, wenn die Anforderungen einer Prüfung im Heimatstall sehr gut erfüllt werden können. Nur dann besteht die Chance, dass es unter Stressbedingungen auf dem Turnier einigermaßen gut geht. Leider sieht man oft Reiter und Pferde, die in der Klasse, in der sie starten, überfordert sind. Oft werden die Reiter auch von ihren Ausbildern zu früh auf das Turnier geschickt. Hier steht oft materielles Denken im Hintergrund. Der Ausbilder rechnet mit mehr „Geschäft" und vielleicht dem Verkauf eines neuen Pferdes, wenn seine Kunden turnierambitioniert sind. Dies soll sicherlich keine allgemeine Unterstellung sein, da ich ja selbst Berufsreiterin bin. Dennoch gibt es das eine oder andere schwarze Schaf unter den Reitlehrern.

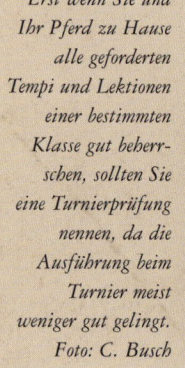

Erst wenn Sie und Ihr Pferd zu Hause alle geforderten Tempi und Lektionen einer bestimmten Klasse gut beherrschen, sollten Sie eine Turnierprüfung nennen, da die Ausführung beim Turnier meist weniger gut gelingt. Foto: C. Busch

Tipp

Es ist vernünftiger, in einer A-Prüfung erfolgreich zu starten, als in der L-Prüfung zu versagen und beim Springen vielleicht sogar das Pferd sauer zu machen. Hierdurch wird das Selbstbewusstsein des Reiters untergraben und das Pferd in der Regel überfordert. Für beide sind dies nicht die optimalen Voraussetzungen für eine erfolgreiche Karriere. Wenn man sich und dem Pferd genügend Zeit lässt, kommt der Erfolg von alleine und bleibt beständig.

Vorbereitung des Turnierstarts 6

Der erste Turnierstart sollte mindestens sechs Wochen vorher vorbereitet werden. Zu Hause sollten Sie in aller Ruhe ausprobieren, in welcher Kategorie gestartet werden kann, das heißt ob alle Lektionen und Anforderungen der zu reitenden Aufgabe erfüllt werden. Oft beherrschen Pferd und Reiter zwar einzelne Lektionen einer bestimmten Klasse, haben aber mit anderen noch Probleme. Hier ist es sinnvoll, im Training ab und zu die Aufgaben aus dem Aufgabenheft durchzureiten und sich da zu verbessern, wo noch Probleme auftreten, bevor man die Lektionen der nächsthöheren Klasse in Angriff nimmt. Nur dann wird man eine Klasse korrekt ausführen können und sich stetig verbessern. Nicht zu vergessen ist, dass es nicht nur auf die Lektionen, sondern auch auf die Basis ankommt. Das Pferd muss entsprechend der Ausbildungsskala in allen Gangarten vorgestellt werden.

Beim Springen kann mit dem Turnierreiten erst begonnen werden, wenn der Reiter sein Pferd bereits mehrmals ohne Probleme über einen Parcours der entsprechenden Anforderungshöhe geritten hat. Ein Ausprobieren auf dem Turnier, welche Klasse man denn reiten könnte, ist keinesfalls sinnvoll, da dies Pferd und Reiter nur verunsichert.

Gerade beim Springen darf man anfangs nicht zu viel riskieren und gleich in schweren Prüfungen starten. Zu leicht verunsichert man das Pferd und macht es sauer. Foto: C. Busch

Tipp

Zu Anfang besteht für Anfänger nur die Alternative, ein E- oder A-Springen zu reiten. Hier kann man mit dem E-Springen beginnen und dann, wenn es gut geklappt hat, auch noch das A-Springen auf dem Turnier reiten.

Vorbereitung des Turnierstarts

Die Abreitezeit einkalkulieren

Um auf dem Turnier zu wissen, welche Zeit man für das Abreiten des Pferdes benötigt, ist es erforderlich, dies zu Hause zu kontrollieren. Der Reiter schaut also auf die Uhr, wie lange er Schritt reitet, leichttrabt und welche Lektionen er wie lange am besten reitet, um das Pferd möglichst schnell zur gewünschten Losgelassenheit und Durchlässigkeit zu bringen. Man sollte hier die verschiedensten Varianten ausprobieren und sich dann eindeutig für die beste entscheiden. Manche Pferde gehen besser, wenn die in der Aufgabe vorkommenden Lektionen nochmals kurz abgefragt werden, andere benötigen nur Übungen zur Losgelassenheit. Dies muss individuell abgestimmt werden.

Das Einkalkulieren der Abreitezeit ist wichtig, um sich die Zeit auf dem Turnier richtig einteilen zu können. Außerdem gibt es dem Reiter ein sicheres Gefühl, wenn er weiß, was er auf dem Abreiteplatz zu tun hat.
Foto: P. Prohn

Tipp

Keinesfalls sollte der Reiter ständig die Prüfungsaufgabe durchreiten, weder in der Trainingszeit vor dem Turnier noch beim Abreiten. Das Pferd lernt diese ansonsten auswendig und reagiert eventuell falsch. Zum Beispiel kann das Pferd vor einem Mittelgalopp, der stets an derselben Stelle gefordert wird, heftig werden und sich verspannen. Besser ist es also, wenn der Reiter die einzelnen Lektionen an immer anderen Stellen und in wechselnder Reihenfolge übt. So konzentriert sich das Pferd stets auf die Reiterhilfen und bleibt aufmerksam.

Welche Ausrüstung darf verwendet werden?

Reiterausrüstung

In Reiterwettbewerben und ähnlichen Prüfungen der Kategorie C ist es ausreichend, saubere und korrekte Reitkleidung in gedeckter Farbe zu tragen. In allen weiterführenden Prüfungen sollte man schwarz-weiß gekleidet sein. Dies bedeutet eine helle Stiefelhose (maisgelb bis weiß) und eine dunkle Reitjacke (schwarz, auch blau und grün). Dazu sollen Stiefel getragen werden. Minichaps sind laut LPO nicht erlaubt, werden aber in Springprüfungen toleriert, wenn sie sich optisch nicht von Stiefeln unterscheiden. Unter der Jacke sollte ein weißes Hemd oder eine Bluse mit ordentlichem Kragen und Plastron oder Krawatte hervorsehen. Weiße Handschuhe sollten ebenfalls getragen werden.

In Springprüfungen müssen alle Reiter einen Dreipunkthelm tragen. Oft wird Marscherleichterung erteilt (von Richtern angesagt oder an Meldestelle zu erfragen). Dann darf man ohne Jackett reiten. Auch darunter sollte man ordentlich gekleidet sein. Foto: P. Prohn

Junioren müssen grundsätzlich in allen Prüfungen einen splittersicheren Reithelm mit Dreipunktbefestigung (also Kinnschutz) tragen. Dies gilt auch für Erwachsene in allen Prüfungen über Hindernisse. In Dressurprüfungen kann ab der Klasse L ein Zylinder oder eine Melone getragen werden.

Es steht Ihnen aber frei, auch hier mit Helm zu reiten. In der Dressur darf eine Gerte von bis zu 120 Zentimeter Länge verwendet werden, in Springprüfungen bis zu 75 Zentimeter, jeweils mit Schlag. Sporen dürfen bis zu 4,5 Zentimeter Länge, in Pony- und Vielseitigkeitsprüfungen bis zu 3,5

Korrekte Reitkleidung für eine Dressurprüfung mit weißen Handschuhen und Plastron. Neben dem Zylinder kann in L-Prüfungen auch noch eine Reitkappe getragen werden. Herren tragen eine Melone. Foto: Ruttmann

Welche Ausrüstung darf verwendet werden?

Zentimeter Länge verwendet werden. Allerdings müssen die Sporen so beschaffen sein, dass sie dem Pferd keine Verletzung zufügen können. Rädchensporen müssen sich drehen und andere Sporen dürfen nicht zu spitz sein.

Tipp

Übrigens ist es in allen Prüfungen über Hindernisse (theoretisch auch in der Dressur) erlaubt, eine Sicherheitsweste zu tragen. Man sollte hier seiner eigenen Sicherheit zuliebe auf eine schönere Optik ohne Weste verzichten.

Die Sicherheitsweste ist in Vielseitigkeitsprüfungen Pflicht. Beim Springen ist sie selbstverständlich ebenfalls erlaubt. Sie kann nach Belieben unter oder über dem Jackett getragen werden. Foto: C. Busch

Marscherleichterung, also das Reiten ohne Jackett, kann bei besonders heißen Temperaturen vom LK-Beauftragten gewährt werden und muss an der Meldestelle veröffentlicht oder per Lautsprecher durchgesagt werden. Meist gilt dies nur für das Springen. In der Dressur will man die korrekte Optik erhalten. In der Tat ist es so, dass viele Reiter bei Marscherleichterung ziemlich unordentlich mit offenem Hemd oder Ähnlichem erscheinen. Hier sollte man sich auch drunter ordentlich ausstaffieren.

Hilfszügel

Es muss anhand der LPO geklärt werden, welche Gebisse und welche Zusatzausrüstung verwendet werden darf. In Prüfungen der Kategorie C sind Hilfszügel zugelassen. In Führzügelprüfungen, Longenreiterwettbewerben, Reiterwettbewerben und Dressurreiterwettbewerben sind gleitendes Ringmartingal (das heißt der Zügel muss durch die Ringe des Martingals laufen können und darf nicht fixiert sein), einfache und doppelte Dreiecks- oder Laufferzügel, beidseitige Ausbindezügel oder Stoßzügel erlaubt.

Korrekt verschnallter Ausbinder für Reiterwettbewerbe, Führzügelprüfungen, Longenreiter- und Dressurreiterwettbewerbe. Die Pferdenase muss vor der Senkrechten bleiben. Foto: C. Busch

Beim Ringmartingal ist stets darauf zu achten, dass vor dem Ring in Richtung Pferdemaul ein Martingalstopper auf den Zügel gezogen wird, da der Ring sonst in der Verschnallung des Zügels hängen bleiben kann. Besonders bei Springprüfungen kann dies zu Verletzungen führen.

Zäumung auf Trense

In allen Prüfungen ist die Zäumung auf Trense und Reithalfter erlaubt. Zu den Trensenzäumungen gehören alle einfach oder doppelt gebrochenen Wassertrensen aus Metall und Kunststoff, die Olivenkopftrense, die D-Trense, die Halbschenkeltrense und die Schenkeltrense (allerdings in Dressurprüfungen ohne Stegbefestigung). Hier sollte man darauf achten, ob die zulässige Mindestdicke des Gebisses von 14 Millimeter (Ponys zehn Millimeter) erreicht wird. Schmalere Gebisse sind zu scharf und nicht erlaubt.

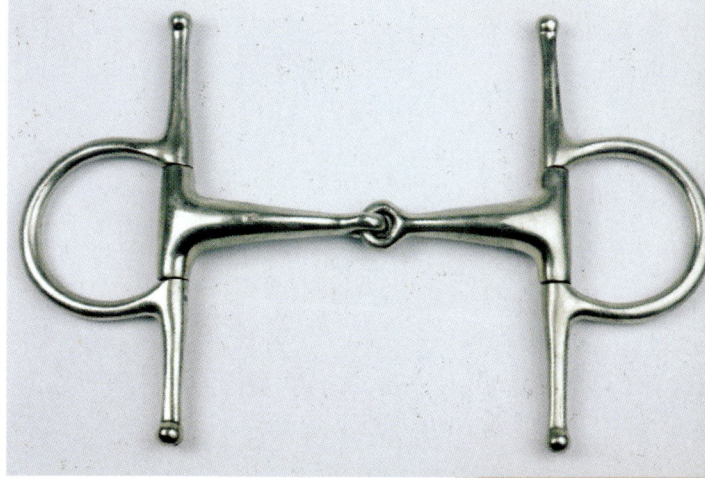

Die Schenkeltrense ohne Stegbefestigung verhindert das seitliche Durchrutschen des Gebisses. Sie ist in allen Springprüfungen erlaubt. Foto: P. Prohn

Tipp

In allen Prüfungen ist die Verwendung von Gummiringen zur Schonung der Maulwinkel des Pferdes erlaubt. Zu den Trensenzäumungen kann das hannoversche, englische, englisch-kombinierte, mexikanische und das Bügelreithalfter verwendet werden.

Gummiringe dürfen zur Schonung des Pferdemauls in allen Prüfungen verwendet werden. Foto: P. Prohn

Zäumung auf Kandare

Dressurprüfungen der Kategorien B oder A (auch Vielseitigkeitsdressur Kategorie A) können auf Kandare verlangt werden. Dies wird in der Ausschreibung bei L-Dressuren angegeben. M-Dressuren werden fast ausnahmslos auf Kandare geritten. Bei allen Kandarenprüfungen können Kandaren mit geraden oder S-förmigen Anzügen (auch als KK-Conrad-Kandare zulässig) verwendet werden. Hier ist die Mindestdicke von 14 Millimeter (Ponys

Welche Ausrüstung darf verwendet werden?

zehn Millimeter) bei der Kandare und zehn Millimeter bei der Unterlegtrense einzuhalten. Die Unterlegtrense kann einfach oder doppelt gebrochen oder auch mit Zungenwölbung sein. Auch eine Olivenkopftrense kann verwendet werden.

Tipp
Übrigens kann für besonders sensible Pferde auch eine normal dicke (also 14 Millimeter) Trense als Unterlegtrense verwendet werden.

Die Kandarenzäumung wird stets in Verbindung mit dem englischen Reithalfter verwendet. Ein zusätzlicher Sperrriemen ist nicht erlaubt. Foto: P. Prohn

Die Anzüge der Kandare dürfen fünf bis zehn Zentimeter lang sein. Je länger die Anzüge sind, desto stärker ist die Hebelwirkung und das Gebiss wird schärfer. Als Zungenfreiheit wird die Wölbung in der Mitte der Kandare bezeichnet. Sie darf 0 bis 30 Millimeter betragen. Je höher die Zungenfreiheit ist, desto mehr beschränkt sie die Bewegung der Pferdezunge und wirkt schärfer. Übrigens ist es bei Anlehnungsproblemen des Pferdes nicht unbedingt sinnvoll, automatisch ein schärferes Gebiss zu verwenden. Meist verstärken sich die Probleme damit noch mehr.

Zur Fixierung der Kandare ist ein Scherriemen zulässig, der durch die beiden kleinen Ringe an den Kandarenanzügen und den Ring der Kinnkette verschnallt wird. Eine Kinnkette muss zur Kandare immer verwendet werden. Sie ist aus Metall und wird stets nach rechts ausgedreht, bis sie glatt in der Kinngrube des Pferdes zu liegen kommt. Eine Kinnkettenunterlage aus Gummi oder Fell ist zulässig. Die Kinnkette sollte so in die Kandare eingehängt werden, dass die Kandarenanzüge bei korrekt angenommenen Zügeln einen 45°-Winkel zur Maulspalte des Pferdes ergeben. Eine durchhängende (Kinnkette zu locker) oder strotzende Kandare (Kinnkette zu fest) beeinträchtigt die korrekte Anlehnung und wird von den Richtern immer negativ vermerkt.

Tipp
Die Unterlegtrense und die Kandare müssen aus dem gleichen Material sein, da verschiedene Metalle im Maul des Pferdes chemische Reaktionen auslösen könnten. Zwischenzeitlich gibt es auf dem Markt auch Kandaren und Unterlegtrensen aus Nathe, einem bei vielen Pferden beliebten Kunststoff. Auch diese sind erlaubt. Grundsätzlich ist bei allen Kandarenzäumungen nur das englische Reithalfter ohne Sperrriemen erlaubt.

Zäumung beim Springen

Neben der Zäumung auf Trense ist in Springpferdeprüfungen, Geländepferdeprüfungen, Jagdpferdeprüfungen sowie allen Spring- und Geländeprüfungen der Kategorien B und A die Zäumung auf Springkandare und Pelham erlaubt. Beide müssen ein gebrochenes oder biegsames Mundstück haben. Das Pelham ist nur mit Steg erlaubt, das heißt als Verbindung zwischen die beiden Ringe des Pelhams muss ein Ledersteg eingeschnallt werden, in den dann die Zügel verschnallt werden, um die Hebelwirkung abzuschwächen. Bei beiden Gebissen ist eine Kinnkette oder ein Kinnriemen sowie die zugehörige Schutzunterlage erlaubt.

Beim Springen sind ebenfalls alle ungebrochenen, aber biegsamen Gummi-, Kunststoff- oder Ledergebisse erlaubt. Seit einiger Zeit ist auch das Pessoa-Gebiss (Drei-Ringe-Gebiss) und alle Varianten davon erlaubt. Diese Gebisse werden oft mit Nathe kombiniert und von den Pferden gerne angenommen, weil die Einwirkung weich ist, aber dem Reiter dennoch eine leichte Hebelwirkung bei Verschnallung in die unteren Ringe zugute kommt.

Gummipelham mit gebrochenem Mundstück. Wenn das Material biegsam ist, kann auch ein ungebrochenes Gebissstück verwendet werden. Das Gebiss ist nur mit einer Stegverbindung zwischen dem oberen und dem unteren Ring erlaubt. Foto: P. Prohn

Für Pferde, die gerne die Zunge über das Gebiss nehmen und sich damit der Einwirkung entziehen, können Gummi-Zungenstrecker verwendet werden. Diese werden auf die Trense aufgezogen. Allerdings sollte dies nicht die Endlösung des Problems sein, sondern vielmehr durch Verbesserung der Rittigkeit der Zungenfehler in den Griff bekommen werden.

Bei Springprüfungen der Kategorie A sind schließlich alle Zäumungen (auch gebisslos) erlaubt, die dem Pferd bei normalem Gebrauch keinen Scha-

Tipp

Bei Einhängen der Zügel in den mittleren Ring hat das Gebiss die gleiche Wirkung wie eine Wassertrense. Mit den neuen Zügeln mit Karabinern oder Haken lässt sich also schnell und unkompliziert die Einwirkung ändern.

Bei korrekter Verschnallung gibt das mexikanische Reithalfter dem Pferd viel Nasenfreiheit, damit es ohne Einengung der Nüstern atmen kann Foto: C. Busch

So werde ich Turnierreiter 31

Welche Ausrüstung darf verwendet werden?

Die Springkandare wirkt mit leichter Hebelwirkung auf das Pferdemaul ein. Foto: P. Prohn

den zufügen. Ebenso erlaubt sind alle Reithalfter wie mexikanisches, hannoversches, englisches und englisch kombiniertes sowie auch das Bügelhalfter, bei dem gut gewährleistet wird, dass der Nasenriemen in Zusammenhang mit dem Gebiss nicht einschneidet. Alle erlaubten Gebisse sind in der LPO unter § 70 auf einer Klapptafel aufgeführt. Grundsätzlich gilt: Was hier nicht abgebildet ist, darf nicht verwendet werden.

Weitere Ausrüstung und Zubehör

Ein Vorderzeug ist bei allen Springprüfungen und bei der Vielseitigkeitsdressur erlaubt. Bandagen, Gamaschen, Streichkappen, Kronen- oder Fesselringe und Springglocken sind nur bei Springprüfungen sowie der Führzügelklasse, dem Dressurreiter- und Longenreiterwettbewerb zugelassen, außerdem bei Mindestleistungsprüfungen. Bei Eignungsprüfungen für junge Pferde werden in der Teilprüfung Springen Bandagen oder Gamaschen zugelassen.

Bei allen Dressurprüfungen muss das Pferd ohne weiteres Zubehör gestartet werden. Auf dem Abreiteplatz sind Gamaschen und andere schonende Ausrüstung erlaubt, sofern sie nicht mit Gewichten ausgestattet sind, was zwar mehr Gang beim Pferd hervorrufen kann, gleichzeitig aber auch durch die Überbelastung stark gesundheitsschädigend wirkt. Wer mit Gamaschen oder Ähnlichem in eine Dressurprüfung einreitet, wird disqualifiziert.

Fell und alle weiteren schonenden Unterlagen sind selbstverständlich in allen Prüfungen erlaubt. Die oft verwendeten Fliegenhäubchen sind zwar als Fliegenschutz grundsätzlich in allen Prüfungen zugelassen. Dies heißt aber auch, dass sie nicht erlaubt sind, wenn keine Fliegen vorhanden sind, wie zum Beispiel im Winter. Viele Reiter schätzen die geräuschdämpfende Wirkung der Fliegenhaube, trotzdem darf sie nur als Fliegenschutz verwandt werden. Bei Dressurprüfungen ist sogar die Genehmigung des LK-Beauftragten einzuholen, um sie ohne Gefahr einer Disqualifikation verwenden zu dürfen.

Beim Pessoa-Gebiss können die Zügel mit Hebelwirkung im unteren Ring oder ohne im mittleren Ring eingeschnallt werden. Dieses Gebiss ist auch mit einem weiteren Ring zulässig. Foto: P. Prohn

Die Prüfungsart klären 8

Es gibt unterschiedliche Prüfungen, bei denen unterschiedliche Kriterien bewertet werden. Um sich auf das Wesentliche vorbereiten zu können, sollte der Reiter die Anforderungsprofile der einzelnen Prüfungsarten genau kennen.

Dressurprüfungen

Hier gibt es in der Regel drei unterschiedliche Prüfungsarten:
Die Dressurprüfung, die Dressurpferdeprüfung und die Dressurreiterprüfung. Die Aufgaben der jeweiligen Prüfungen wirken bei der ersten Betrachtung entsprechend ihrer Klasse relativ identisch. Allerdings werden die Prüfungen von den Richtern jeweils aus einem anderen Blickwinkel gerichtet.

Bei der Dressurreiterprüfung wird ausschließlich der Sitz und die Einwirkung des Reiters geprüft. Das Pferd spielt nur insofern eine Rolle, weil anhand dessen Reaktion die Einwirkung des Reiters erkennbar wird. Der Reiter muss besonders elastisch und korrekt sitzen, die Hilfen richtig geben und die Hufschlagfiguren genau reiten, um eine gute Note zu erhalten. Ob sein Pferd dabei besonders gute Gänge zeigt, ist nebensächlich, allerdings muss es korrekt entsprechend der Ausbildungsskala ausgebildet sein, um sich für diese Prüfung zu eignen. Es ist die Aufgabe des Richters, zu entscheiden, ob ein schwieriges Pferd durch die Einwirkung des Reiters verbessert wird oder ob die Schwierigkeiten durch die falsche Einwirkung des Reiters entstehen. Die Dressurreiterprüfung ist dem Stilspringen im Springbereich gleichzusetzen.

In allen normalen Dressurprüfungen wird das vorgestellte Pferd mitbewertet. Hierbei kommt es in den unteren

In Dressurreiterprüfungen kommt es vor allem auf einen losgelassenen, elastischen Sitz und korrekte Hilfengebung an. Foto: P. Prohn

So werde ich Turnierreiter 33

Die Prüfungsart klären

In Dressurprüfungen wird das korrekte Vorstellen des Pferdes bewertet. Der Schwung und die Grundgangarten des Pferdes fließen in die Bewertung ein. Foto: A. Busch

Klassen beim gemeinsamen Richten darauf an, dass das Pferd korrekt entsprechend der Ausbildungsskala vorgestellt wird. Lektions- oder Gehorsamsfehler sind hier nicht vorrangig, obwohl das von den meisten Reitern angenommen wird. So muss zum Beispiel ein Pferd, das zwar alle Lektionen zeigt, aber zu eng im Hals ist, schlechter benotet werden, als ein Pferd, das Lektionsfehler macht, aber entsprechend der Ausbildungsskala korrekt vorgestellt wird. Bei gleichwertiger Vorstellung durch den Reiter wird das Pferd mit den besseren Gängen siegen.

In Dressurpferdeprüfungen wird die Eignung eines jungen Pferdes für den Dressursport unabhängig vom Ausbildungsstand geprüft. Allerdings muss dessen Ausbildungsstand der entsprechenden Klasse genügen. Hier können aber unterschiedlich weit geförderte Pferde miteinander konkurrieren. Die Richter urteilen über die grundsätzliche Eignung des Pferdes für die Dressur und ob es sich ausbildungsmäßig auf dem richtigen Weg befindet. Es wird der Gesamteindruck des Pferdes beurteilt, weshalb einzelne Lektionsfehler und das Guckigsein in der üblichen Weise ignoriert werden, wenn sie nicht auf einen Temperaments- oder Ausbildungsfehler hinweisen. Das Protokoll wird hier nicht in die einzelnen Lektionen unterteilt, sondern nur in Gangarten und Rittigkeitskriterien.

Die Dressuerpferdeprüfung ist deshalb besonders aufschlussreich für die Beurteilung des Pferdes und die weitere Ausbildung, da man selbst oft ein „betriebsblindes" Urteil über das eigene Pferd fällt und hier von neutraler Seite eine sachkundige Meinung erhält. Sitz und Einwirkung des Reiters beeinflussen die Wertnote bei dieser Prüfung nicht, sind aber trotzdem für das korrekte Vorstellen des Pferdes wichtig. Der Richter darf bei einem schlecht vorgestellten Pferd nicht spekulativ höhere Noten geben, weil er glaubt, das Pferd könnte unter einem anderen Reiter besser gehen.

Tipp

Auf die Hinweise der Richter, die in den nach der Prüfung abzuholenden Protokollen gegeben werden, ist unbedingt zu achten. Besonders wertvoll sind hier die Schlussbeurteilungen, in denen der Richter ein Gesamturteil fällt, welches dem Reiter helfen soll weiterzukommen. Wenn das Protokoll nur unzureichend Auskunft gibt, ist es durchaus sinnvoll und erlaubt, die Richter nach der Prüfung auf freundliche Weise zu bitten, einem anhand ihrer Aufzeichnungen Tipps zu geben, wie man sein Pferd besser vorstellen und zu Hause trainieren kann. Die Richter sind hier in der Regel sehr offen und helfen dem

Reiter normalerweise gerne. Der Reiter sollte aber auf jeden Fall unmittelbar nach der Prüfung mit seinem Protokoll zum Richter gehen, da es sonst für den Richter nicht mehr möglich ist, sich an jeden einzelnen Ritt zu erinnern. Richter sehen am Tag über hundert Pferde und können sich beim besten Willen nicht an jeden Einzelnen erinnern. Diese Tatsache sollte der Reiter berücksichtigen und auch nicht ungehalten reagieren, wenn der Richter ehrlich zugibt, sich nicht mehr erinnern zu können. Dies heißt nicht, dass er den Reiter falsch beurteilt hätte.

Um in Dressurpferdeprüfungen erfolgreich zu sein, benötigt man ein Pferd mit schwungvollem, ausdrucksstarkem Trab und Galopp sowie taktreinem Schritt. Es wird die Eignung des Pferdes für den Dressursport beurteilt. Die Einwirkung des Reiters ist hier nebensächlich. Foto: P. Prohn

Springprüfungen

Hier wird unterschieden in Fehler-Zeit-Springen, Stilspringen, Springpferdeprüfungen und Spezialspringprüfungen. In den niedrigen Klassen werden sehr oft Stilspringen ausgeschrieben. Man will hier Basisarbeit leisten und den Stil der beginnenden Reiter verbessern, um sie optimal auf höhere Springen vorzubereiten. Besonders für Junioren sind fast ausschließlich Stilspringprüfungen ausgeschrieben. Hier werden der Sitz und die Einwirkung des Reiters während des Parcours mit einer Wertnote zwischen 0 und 10 bewertet.

Es kommt nicht nur, wie weit verbreitet angenommen, auf das Reiten im leichten Sitz an. Vielmehr soll der leichte Sitz auf den langen Wegen zwar korrekt gezeigt werden, da er ein wichtiges Kriterium zur Beurteilung des losgelassenen und ausbalancierten Sitzes ist, gleichzeitig ist es aber erwünscht, dass der Reiter im Anritt auf das Hindernis vermehrt zum Einsitzen kommt und die passende Distanz zum Hindernis findet. Das Nachgeben über dem Hindernis sowie die Elastizität in der Mittelpositur (Bereich Kreuz,

Die Prüfungsart klären

Beim Stilspringen wird vor allem der ausbalancierte Sitz des Reiters über dem Sprung beurteilt. Um so perfekter der Sitz des Reiters ist, um so leichter kann das Pferd springen. Foto: P. Prohn

Hüfte) sind weiterhin wichtig für die Benotung. Insgesamt soll ein harmonischer Ritt auf korrekten Linien und in gleichmäßigem, kontrolliertem Grundtempo gezeigt werden. Von der Stilnote abgezogen werden Hindernisfehler mit 0,5 Strafpunkten, erster Ungehorsam (Verweigern) mit einem Strafpunkt, zweiter Ungehorsam mit zwei Strafpunkten und Sturz des Reiters oder des Pferdes mit ebenfalls zwei Strafpunkten. Der dritte Ungehorsam oder der zweite Sturz führen zum Ausschluss. Zusätzlich wird eine erlaubte Zeit (EZ) vom Parcourschef vorgegeben, in der der Parcours im richtigen Tempo überwunden werden kann. Bei Überschreitung der EZ werden je angefangene Sekunde 0,1 Strafpunkte vom Gesamtergebnis abgezogen.

In einigen Stilspringprüfungen ist auch das Stechen über einen verkürzten Parcours möglich sowie mit Standardanforderungen. Standardparcours sind im Aufgabenbuch ausgeschrieben, damit sie zu Hause trainiert werden können. Hier werden neben den Springanforderungen auch Rittigkeitskriterien im Parcours geprüft. Durchparieren und Überwinden eines Hindernisses aus dem Trabe oder Zügel-aus-der-Hand-kauen-Lassen werden mitbewertet.

Bei den normalen Fehler-Zeit-Prüfungen werden für den ersten Ungehorsam drei Strafpunkte, für einen Stangenfehler vier Strafpunkte (wobei es dabei egal ist, wie viele Stangen eines Hindernisses herunterfallen), für den zweiten Ungehorsam sechs Strafpunkte und für einen Sturz von Reiter oder Pferd acht Strafpunkte verbucht. Auch hier führen der dritte Ungehorsam und der zweite Sturz zum Ausschluss. Für das Überschreiten der EZ wird für jede angefangene Sekunde 1/4 Strafpunkt berechnet. Gesiegt hat, wer die wenigsten Strafpunkte in der schnellsten Zeit vorweisen kann. In der Ausschreibung muss bereits veröffentlicht werden, wenn das Springen mit einem Stechen entschieden wird. Dies ist der Fall, wenn auf dem ersten Platz Punktgleichheit herrscht. Dies ist in der Regel bei null Fehlern, in Ausnahmefällen auch bei drei oder vier Fehlern der Fall. Wenn im Grundparcours kein Reiter fehlerfrei geblieben ist, darf der Stechparcours im Vergleich zum Grundparcours nicht erhöht werden. Im Stechen wird das Überschreiten der EZ mit jeweils einem ganzen Strafpunkt je angefangene Sekunde bestraft. Dies schlägt enorm zu Buche, so dass man es sich kaum leisten kann, hier eine extrem langsame Runde zu drehen.

Zu den vielen verschiedenen Spezialspringprüfungen zählt unter anderem die Stafettenspringprüfung. Eine Stafette besteht je nach Ausschreibung aus zwei oder mehreren Teilnehmern. Es gibt verschiedene Formen – nachzulesen in der LPO ab § 521 – bei denen jeweils eine Stafette, also meist eine

Reitgerte vom vorausstartenden Teilnehmer an den nächststartenden übergeben werden muss. Die Zeit läuft hierbei weiter. Es muss also geübt werden, die Springpatsche, die natürlich auch nur 75 Zentimeter lang sein darf, möglichst flott und ohne Herunterfallen weiterzugeben. Der dritte Ungehorsam bedeutet auch hier den Ausschluss der Stafette. In der Relaisspringprüfung muss die Übergabe der Gerte in einer Relaisstation – Einfriedung im Springplatz - erfolgen. Bei der Glücksspringprüfung gibt es ebenfalls mehrere Varianten. Bei der Variante A wird ein festgesetzter Parcours ohne Kombination überwunden, wobei es für jedes Hindernis zwei Punkte gibt. Beim ersten Fehler erfolgt das Abklingeln durch die Richter. Der Reiter erhält die bis hierher errungenen Punkte (bei einem Stangenfehler nur einen Punkt). Zur Zeitmessung muss er noch das nächstfolgende Hindernis überwinden, wo dann die Zeit gestoppt wird, wenn die Vorderhufe den Boden berühren. Bei einem Ungehorsam muss sofort angehalten werden. Hier erfolgt keine Zeitmessung. Bei einer eventuellen Platzierung rangiert der Reiter an der letzten Stelle derer mit der gleichen Punktzahl und einer gestoppten Zeit. Bei der Variante B wird eine Zeit zwischen 60 und 90 Sekunden angesetzt, in der ein vorgegebener Parcours so oft wie möglich überwunden werden muss. Der Teilnehmer erhält für jedes fehlerfrei überwundene Hindernis zwei Punkte, für einen Stangenfehler nur einen Punkt. Die erste und zweite Verweigerung werden nur durch die Zeit bestraft. Am Ende der Zeit wird abgeläutet und der Reiter muss noch das nächste Hindernis für die Zeitmessung überwinden. Eine verbreitete Spezialspringprüfung im Kategorie B Bereich ist die Zwei-Phasen-Springprüfung. Hierbei handelt es sich sozusagen um einen Grundparcours mit gleich integriertem Stechen. Nach fehlerfreiem Überwinden der ersten Phase kann der Reiter sofort durch eine zweite Startlinie zum Stechparcours (Phase 2) weiterreiten. Bei einem Fehler im Grundparcours, zum Beispiel auch einem Zeitfehler, klingeln die Richter den Reiter ab. Für den Kategorie A-Bereich gibt es noch viele Austragungsmodalitäten für Springprüfungen. Diese sind jeweils entsprechend der Ausschreibung genau in der LPO nachzu-

> ### Tipp
>
> Sollte man öfters mit Zeitfehlern belegt werden, sind das Grundtempo und die Wegführung zu überprüfen.

Um in Springprüfungen nach Fehlern und Zeit erfolgreich zu sein, kommt es in erster Linie auf die sichere Kontrolle des Pferdes an, um fehlerfrei zu bleiben. Um eine schnelle Zeit zu reiten, kommt es nicht nur auf ein flottes Grundtempo, sondern vor allem auf enge Wendungen an. Hierzu muss das Pferd sehr rittig sein. Foto: W. Ernst

Die Prüfungsart klären

lesen. Bei Springpferdeprüfungen dürfen nur junge Pferde starten. Im A-Springen Vier- und Fünfjährige, sowie Sechsjährige ohne bisherige Platzierung. Hier wird die Eignung des jungen Pferdes zum Springsport ohne Einfluss des Reiters bewertet. Geachtet wird auf die Galoppade, die Bascule und Manier am Sprung sowie die Rittigkeit des Pferdes. Es ist durchaus möglich, dass ein Pferd, das hier wegen technischer Mängel nicht unbedingt besonders gute Noten erhält, später ein Top-Springpferd wird. Machen Sie sich hier also nicht allzu viele Gedanken.

Beim Freispringen lernt das junge Pferd ohne Reitergewicht zu springen. Dies kommt der Bascule und Beintechnik sowie dem Taxiervermögen des Pferdes zu Gute. Foto: W. Ernst

Tipp

Springpferdeprüfungen sind im Verhältnis meist schwerer aufgebaut als entsprechende normale Prüfungen derselben Klasse. In Basis- und Aufbauprüfungen dürfen jeweils Reiter aller Leistungsklassen reiten, was von den Profireitern bis zur Leistungsklasse 1 auch weidlich ausgenutzt wird, da es hier um Platzierungen für ihre jungen Verkaufspferde geht. Der Parcourschef muss entsprechend schwieriger aufbauen, um den Richtern die Möglichkeit zu geben, die Pferde auseinander zu bekommen. Meist fahren Sie als Einsteiger besser, wenn Sie mit Ihrem jungen Pferd erst mal Prüfungen speziell für Ihre Leistungsklasse reiten. Hier wird leichter aufgebaut und die Konkurrenz ist nicht so groß. Das gilt natürlich auch für die Dressur, wobei hier ja keine Schwierigkeiten durch die Schwere des Parcours hinzukommen, die Ihr Pferd verunsichern können.

Reitpferdeprüfung

Speziell für ganz junge Pferde (drei- und vierjährige) finden diese Prüfungen statt. Sie sind ebenfalls für alle Leistungsklassen offen und auch hier sieht man meist sehr talentierte Pferde, nicht zuletzt, weil viele Reiter versuchen, hier die Fahrkarte für eine Teilnahme am Bundeschampionat zu ergattern. Hierzu benötigt man bei Reitpferdesichtungen die Gesamtbenotung von mindestens 8,0.

Die jungen Pferde werden nach Anweisung der Richter in einer kleinen Gruppe geritten. Es gibt im Aufgabenheft 2000 auch Aufgabenvorschläge für Reitpferdeprüfungen, um den Schwierigkeitsgrad der Prüfungen auf verschiedenen Turnieren anzugleichen. Dem Veranstalter und den Richtern steht es frei, diese zu verwenden. Meist finden Reitpferdeprüfungen auf größeren Vierecken statt, damit die Pferde ihre Bewegungsqualität voll entfalten können. Es wird hauptsächlich leichtgetrabt. Man sollte sein Pferd schwungvoll im energischen Arbeitstempo vorstellen, was aber nicht heißt, nur im Mitteltempo zu rasen. Die

Tipp

Bei der Vorbereitung des jungen Pferdes sollte man keinesfalls nur Tritte verlängern üben. Die Pferde kommen dabei zu wenig auf die Hinterhand und können im Extremfall durch Balanceprobleme sogar anfangen, hinten breit zu fußen, was einen kaum mehr zu korrigierenden Fehler darstellt. Ausdrucksstarke Bewegungen bekommt das Pferd eher durch den Wechsel von Setzen und Winkeln der Hinterhand in den verkürzten Tempi und aktivem Vorwärtsreiten. Sie wollen Ihr Pferd ja nicht nur in Reitpferdeprüfungen einsetzen, sondern auch später noch erfolgreich reiten.

Reitpferdeprüfungen werden in Gruppen zu drei oder vier Pferden geritten, damit die unerfahrenen Pferde im Gruppenverband die Scheu vor fremden Plätzen verlieren können. Der Reiter sollte große Abstände einhalten, um das Potenzial seines Pferdes optimal präsentieren zu können, ohne am Vordermann zu kleben.
Foto: W. Ernst

Die Prüfungsart klären

Pferde kommen sonst zu sehr auf die Vorhand. Außerdem sollte es beim Tritte Verlängern noch eine Steigerung geben. Im Schritt sollen die Pferde mit leichter Anlehnung und gedehntem Hals weit und gelassen übertreten. Der Galopp wird meist einzeln verlangt. Auch hier wird schwungvoll vorwärts geritten, aber nicht gerast. Grundsätzlich gilt: Um so mehr Schwebephase, um so besser.

Nach dem Reiten müssen die Teilnehmer der Reitpferdeprüfung ihre Pferde absatteln und den Richtern an der Hand vorstellen. Hier wird das Gebäude des Pferdes und die Bewegung an der Hand begutachtet. Bei der Vorstellung teilen Sie den Richtern das Alter und die Abstammung Ihres Pferdes mit, dann wird auf deren Anweisung im Schritt oder im Trab an der Hand vorgestellt. Die Richter achten hierbei auf Fehlstellungen oder unkorrekte Bewegungsabläufe. Übrigens sollten Sie nicht verzweifeln, wenn Ihr Pferd niedrige Gebäudenoten erhält. Erstens kann es sein, dass es sich noch verwächst, außerdem werden viele Gebäudemängel bei korrekter Ausbildung soweit kaschiert, dass diese in einer späteren Prüfung keine Rolle mehr spielen. Idealerweise sollte das Pferd einen für ein Reitpferd geeigneten Halsansatz haben. Nicht ideal ist ein tief angesetzter Hals, eine Neigung zum falschen Knick oder ein zu kurzer oder zu langer Hals. Die Sattellage sollte ausgeprägt mit einem deutlichen, aber nicht zu hohen Widerrist sein. Ungünstig ist ein zu tief oder gar nach oben gewölbter Rücken. Die Kruppe sollte gut bemuskelt und nicht überbaut sein, die Beinstellungen korrekt mit großen, ausgeprägten Gelenken. Insgesamt müssen die Maße des Pferdes harmonisch zueinander passen.

Nach der Vorstellung erhält jedes Pferd eine Beurteilung im Schritt, Trab, Galopp, Gebäude und Gesamteindruck (hier wird das allgemeine Verhalten auf dem Turniereiereck beurteilt). Vereinzelt wird eine zusätzliche Mindestleistung verlangt. Dies bedeutet, dass man eine bestimmte Strecke in jeder Gangart in einer Mindestzeit zurücklegen muss. Wird die Gangart nicht durchgehend eingehalten, gibt es Abzüge.

Eignungsprüfung

An der Eignungsprüfung dürfen Pferde von vier bis sechs Jahren teilnehmen. Hier wird der sofortige Gebrauch des Pferdes als Reitpferd in allen Bereichen überprüft. In einer kleinen Gruppe werden die Pferde zuerst in einer Dressurprüfung (siehe Aufgabenbuch) geritten, danach im unmittelbaren Anschluss einzeln über einen kleinen Parcours (etwa vier Hindernisse) gesprungen.

Jeder Reiter hat kurz Zeit, seinem Pferd Gamaschen anzulegen. Für das Springen muss eine entsprechende Kappe getragen werden. Die Gerte kann gewechselt werden. Da es sich um eine Kategorie-B Prüfung handelt, können die Hindernisse bereits A-Höhe haben. Die Benotung setzt sich zu gleichen Teilen aus Springen und Dressur zusammen.

Transport
des Pferdes

Natürlich sollte das Verladen des Pferdes bereits vor dem ersten Turnierstart geübt werden. Einerseits kann es ansonsten am Turniertag zu starken Verzögerungen bei der Abfahrt kommen, zum anderen ist ein Pferd, das zum ersten Male verladen wird, besonders aufgeregt und nicht unbedingt in der Lage, eine Prüfung erfolgreich zu meistern.

Der Reiter sollte seinem Pferd zuliebe das Verladen so lange in Ruhe zu Hause üben, bis es ohne Probleme brav in den Hänger geht und dort ruhig stehen bleibt. Der Pferdehänger wird mit dem Zugfahrzeug (wegen der Stabilität) an eine Stelle mit festem, nicht rutschigem Untergrund gestellt. Wenn diese an einer Seite von einer Mauer oder Ähnlichem begrenzt ist, ist dies nur von Vorteil. Er muss dann allerdings so dicht herangeranziert werden, dass das Pferd nicht zwischen Hänger und Mauer hindurch und sich verletzen kann. Beim ersten Verladen sollte ein bereits erfahrenes Pferd, das sich ruhig verhält, zuerst in den Hänger geführt werden, sozusagen als Führpferd. Das unerfahrene Pferd wird dann an die Verladerampe herangeführt. Es sollte ein Zaumzeug tragen oder zumindest mit einem Strick durch das Maul gesichert sein, um ein Ausbrechen oder Davonlaufen verhindern zu können. Die Unsitte, Pferde am Stallhalfter zu verladen, ist sehr gefährlich, da damit das Pferd im Notfall nicht kontrolliert werden kann. Seine Beine werden mit Transportgamaschen geschützt. Das Anlegen und Gehen mit den Transportgamaschen sollte bereits vor dem ersten Verladen mehrfach geübt worden

In einen Pferde-LKW gehen die Pferde meist lieber als in den engen Hänger. Bei Pferden, die beim Verladen grosse Probleme machen, kann man anfangs einige Fahrten mit einem LKW organisieren.   Foto: C. Busch

Transport des Pferdes

sein, um dem Pferd nicht zu viele neue Erfahrungen auf einmal zumuten zu müssen.

Steht das Pferd einmal vor der Rampe, sollte es kein Zurück mehr geben. Man lässt ihm zwar alle Zeit der Welt, sich die Sache in Ruhe anzusehen und zu beschnuppern, lässt es aber nicht mehr nach hinten oder zur Seite ausweichen. Um dies zu verhindern, wird es einerseits vom Führenden neben seinem Kopf am kurzen Zügel gehalten. Zum anderen ist es vorteilhaft, wenn die Seiten von Helfern mit am Hänger befestigten Longierleinen gesichert werden, allerdings vorerst ohne die Leinen hinter dem Pferd zu kreuzen. Hierzu kommt es nur, wenn sich das Pferd auch nach längerem Stehen nicht bewegen lässt, auf die Rampe zu steigen, oder massiv zurückweicht. Bei Nervosität sollte das Pferd beruhigt und geklopft werden. Das Locken mit Futter könnte nur in Ausnahmefällen bei sehr gefräßigen Pferden helfen. Meist sind die Pferde viel zu aufgeregt, um sich für Futter zu interessieren. Dann versucht man das Pferd anzuführen und es schrittweise die Rampe hochzuführen. Man bleibt dabei immer neben seinem Kopf und versucht auf keinen Fall, das Pferd hinter sich her zu ziehen,

*Zu lange sollten die Hängeraufenthalte für das Pferd nicht andauern. Es muss sich immer mal wieder die Beine vertreten können. Im Hänger sollte stets ausreichend Futter (Heu) und Wasser angeboten werden, damit das Pferd zufrieden bleibt.
Foto: C. Busch*

Pferde, die Probleme mit dem engen Stehen im Hänger haben, kann man mit breitgestellter Trennwand (alleine) transportieren. Hierbei muss man beim Öffnen der Rampe darauf achten, dass das Pferd nicht sofort rückwärts tritt und die Rampe heruntedrückt, weil keine Sperre vorhanden ist. Hier kann man sich mit einer Longe behelfen oder zuerst innen die Trennwand wieder eng stellen.
Foto: C. Busch

hierauf reagieren die meisten Pferde mit Ausweichen nach hinten. Ein Helfer kann die Hufe des Pferdes nacheinander auf die Rampe aufsetzen, ein anderer sollte behutsam von hinten nachtreiben, am besten mit einer Gerte oder einem Besen, ohne das Pferd zu schlagen. Meist kommt einem die Langeweile zugute und das Pferd beschließt plötzlich, dem langweiligen Stehen ein Ende zu machen und einen Schritt nach vorne zu gehen. Hierfür wird es gelobt und nach einiger Zeit wieder aufgefordert weiterzugehen. Wenn es dann im Hänger steht, müssen die Helfer schnell reagieren und die Schranke hinter dem Pferd schließen und einrasten, damit es nicht wieder rückwärts hinauslaufen kann, was oft passiert, wenn es feststellt, dass es im Hänger sehr eng steht. Allerdings sollten die Bewegungen beim Schließen der Rampe so kontrolliert werden, dass sich das Pferd nicht vor der Hektik hinter ihm erschreckt.

Wenn sich das Pferd gar nicht bewegen lässt, in den Hänger zu gehen oder versucht, auszubrechen, sollten die Longierleinen um sein Hinterteil überkreuzt werden. Nun kann langsam durch Zuziehen Druck auf die Hinterhand ausgeübt werden, bis das Pferd schrittweise den Hänger betritt. Oft liegt das Zögern des Pferdes aber auch daran, dass es im Hänger zu dunkel ist oder die Plane am Einstieg nicht rich-

Transport des Pferdes

tig befestigt wurde, so dass ein größeres Pferd Angst hat, hier mit dem Kopf hängen zu bleiben. Außerdem sollte Einstreu im Hänger und eventuell auf der Rampe verstreut werden, damit er einladend wirkt. Wenn das Pferd im Hänger ist, wird es gelobt und erhält eine größere Portion seines Lieblingsfutters. Das zweite Pferd bleibt ebenfalls im Hänger (und wird natürlich auch gefüttert). Hierdurch verbindet das Pferd mit dem Hänger eine angenehme Erfahrung und wird nächstes Mal bereitwilliger einsteigen. Wenn das Futter alle ist, wird zuerst

Tipp

Zu erwähnen ist noch, dass das bereitwillige Einsteigen des Pferdes nicht zuletzt von der Fahrweise des Zugfahrzeuglenkers abhängt. Es darf niemals schneller als 80 km/h gefahren werden und vor jeder Kurve muss das Tempo früh genug deutlich reduziert und diese mit gleichmäßigem Gas langsam durchfahren werden. An Ampeln und Kreuzungen muss vorausehend bereits frühzeitig langsam abgebremst werden. Lieber wartet man einmal mehr an einer Ampel als dass man mit quietschenden Reifen ruckartig zum Stehen kommt. Das Pferd wird sich bedanken, indem es gerne wieder mitfährt. Auch sollten Sie selbst hängerfit werden und das Rangieren und Rückwärtsfahren ohne Pferd im Hänger üben. Auf dem Turnierplatz ist man oft gezwungen, den Hänger in die oder aus den unmöglichsten Lücken zu rangieren.

Tipp

Sehen Sie sich vor der Fahrt zum Turnier die Karte genau an und suchen sich den für eine Hängerfahrt günstigsten Weg. Oft ist der etwas längere Weg über eine größere Straße sinnvoller, weil das Hängerfahren hier für Pferd und Fahrer komfortabler ist. Idealerweise sollten Sie einen Beifahrer haben, der gut Karte lesen kann, denn das Wenden mit Hänger kostet Zeit und Nerven. In der Regel dauert die Anfahrt mit dem Hänger doppelt so lange wie Sie nur mit dem PKW benötigen würden.

das junge Pferd wieder ausgeladen. Die Schranke hinten wird geöffnet und das Pferd wird langsam durch Druck an seiner Brust rückwärts geschoben. Ein Helfer achtet darauf, dass es nicht seitlich über die Rampe hinaustritt und sich verletzt. Danach sollte man ihm die Möglichkeit geben, etwas frei zu laufen, um die Anspannung loszuwerden. Wenn das Einladen (vielleicht auch alleine ohne zweites Pferd) gut klappt, wird das Pferd eine kleine Runde gefahren. Hierbei sollte man nach ein paar Metern immer erst noch mal prüfen, ob es brav stehen bleibt. Hierzu kann ein Helfer neben dem Hänger hergehen. Wenn das Pferd dies ohne Panik geschehen lässt, kann man einen Turnierbesuch planen. Vorsichtshalber sollten jedoch immer mindestens ein Helfer und zwei Longierleinen zum Verladen am Turnier mitgenommen werden. Oft machen die Pferde wegen der allgemeinen Aufregung dann mehr Probleme als im Heimatstall.

Hufbeschlag

10

Unmittelbar vor dem Turnier, etwa eine Woche vorher, sollte der Beschlag des Pferdes geprüft werden. Wenn der Beschlag bereits sechs oder sieben Wochen alt ist, sollte das Pferd auf jeden Fall vor dem Turnier neu beschlagen werden. Die Gefahr, ein Eisen zu verlieren, ist beim Transport und auf dem Turnier wesentlich höher. Abgesehen davon, dass man mit einem heruntergetretenen Hufeisen nicht starten kann, ist es auch unangenehm, wenn die Hufwand beim Herunterreißen des Eisens ausbricht.

Stollen

*Auf trockener Wiese rutschen Pferde sehr oft. Meist können Stollen oder kleine Stifte, die vom Schmied an den Hufeisen angebracht werden, Abhilfe leisten.
Foto: C. Busch*

Beim Dressurreiten werden in der Regel auf Sandböden keine Stollen benötigt. Allerdings kann es vorkommen, dass das Dressurviereck oder der Abreiteplatz auf eine Wiese verlegt wird (für das Dressurviereck muss dies in der Ausschreibung vermerkt werden). Dann kann es bei sehr trockenem oder feuchtem Boden wegen der Rutschgefahr sinnvoll sein, Stollen einzudrehen.

Hufbeschlag

Beim Springen werden Stollen natürlich öfter benötigt, um dem Pferd den nötigen Halt im Absprung zu geben. Fühlt sich das Pferd unsicher auf dem Boden und rutscht, kann es leicht zu Verweigerungen kommen, die dem Pferd das Vertrauen nehmen können. Wenn der Boden sehr tief und schlammartig ist, nützen normalerweise auch Stollen nichts mehr und führen nur zu erhöhter Verletzungsgefahr. Man sollte sich grundsätzlich überlegen, ob es überhaupt sinnvoll ist zu starten und die Gesundheit seines Pferdes zu riskieren. Welche Stollen eingedreht werden, ist vom Boden abhängig. Meist reichen kleinere, runde Stollen, um ein Abrutschen auf Rasen zu verhindern. Lange, spitze Stollen sollten nur bei besonders rutschigem Boden verwendet werden.

Wie bereits erwähnt, rutschen Pferde auch auf trockener Wiese. Dies wird von vielen Reitern übersehen. Wenn man sich nicht sicher ist, ob das Pferd rutscht, kann man durch das Reiten von Wendungen auf dem Abreiteplatz ausprobieren, ob das Pferd trittsicher geht oder rutscht. Oft gehen die Pferde dann wie auf rohen Eiern. Das Eindrehen der Stollen bereitet keine Schwierigkeiten, wenn die Stollenlöcher immer sauber gehalten werden und nach dem Ausdrehen der Stollen mit in Huffett getauchter Watte oder ähnlichem Material ausgefüllt werden, damit sich kein Dreck hineintritt. Vor dem Eindrehen der Stollen muss dann nur die Watte entfernt werden. Wichtig ist es auch, die Stollen nicht zu fest anzuziehen, da man sonst beim Herunterschrauben das Eisen verzieht.

Grundsätzlich sollten die Stollen vor dem Verladen wieder aus den Hufeisen herausgedreht werden, um Verletzungen beim Transport zu vermeiden. Es ist für die Beine des Pferdes auch ungesund, immer auf Stollen zu stehen. Diese sollten ausschließlich im Bedarfsfalle benutzt werden.

Tipp

Übrigens können kleine Stifte, die vom Hufschmied am Eisen angebracht werden, auf normalen Plätzen eine Mindeststabilität gewährleisten. Diese sind so kurz, dass sie dauerhaft am Hufeisen bleiben können.

Am Turnierplatz angekommen

Die Ankunft am Turnierplatz sollte auf jeden Fall so zeitig sein, dass der Reiter ausreichend Zeit hat sich umzusehen, das Pferd fertig zu machen und abzureiten. Wenn man gehetzt ankommt und übereilt das Pferd vorbereiten muss, ist es sehr unwahrscheinlich, eine gute Prüfung reiten zu können. Nach der Ankunft sollte man als Erstes das Pferd versorgen und dann zur Meldestelle gehen, um zu melden (falls noch nicht vorher telefonisch geschehen) und um abzuklären, ob sich am Zeitplan etwas ändert, welche Startnummern man hat (diese müssen vom Reiter selbst vorher in einem Reitsportgeschäft besorgt werden) und wann der voraussichtliche Start erfolgen wird.

Vorsichtshalber sollte man dann noch etwa 20 Minuten für etwaige unvorhergesehene Verzögerungen einrechnen (zum Beispiel dauert das Ausladen länger, das Pferd ist nervös, etwas wurde vergessen oder es fallen Reiter aus). Diese Zeit kann man dann mit Schrittgehen überbrücken, wenn alles nach Plan läuft. Danach sollten der Abreite- und der Prüfungsplatz besichtigt werden.

Tipp

Sie können ungefähr berechnen, wie lange es dauern wird, bis Sie starten müssen, indem Sie bei Dressurprüfungen im Aufgabenheft die

Die Tafel am Abreiteplatz gibt Ihnen Auskunft, wann Sie starten müssen. Sie sollten auch prüfen, ob die vor Ihnen startenden Pferde bereits auf dem Platz sind und abreiten, damit Sie eventuelle Ausfälle besser einkalkulieren können.
Foto: C. Busch

Am Turnierplatz angekommen

Dauer der Aufgabe nachsehen. Diese plus etwa eine Minute für Einreiten und Notenfindung veranschlagen Sie pro Reiter und berechnen Ihren Start. Am Anfang geht es bei Wertnotenprüfungen schneller, später benötigen die Richter mehr Zeit, um die Ritte zu rangieren. Bei Springprüfungen kann entweder mit der EZ oder rund einer Minute für jeden Ritt gerechnet werden, zusätzlich einer Minute für das Ein- und Ausreiten. Wenn es sich um eine Fehler-Zeit-Prüfung handelt, bleibt dies bis zum Ende der Prüfung konstant. Man kann bereits beim ersten Starter stoppen, wie lange ein Reiter benötigt.

Parcours abgehen

Das Parcoursabgehen sollten Sie wenn möglich bei den ersten Turnieren zusammen mit einem erfahrenen Springreiter vornehmen, der Ihnen zeigt, worauf es ankommt. Der Parcours darf erst betreten werden, wenn er von den Richtern per Klingelzeichen freigegeben wurde. Das Abgehen muss in korrekter Reitkleidung erfolgen, das heißt Stiefel, weiße Reithose, Jackett, Hut und Patsche.

Zuerst sollten Sie sich einprägen, wo die Startlinie verläuft, um diese keinesfalls vor dem Startzeichen zu überreiten. Sie sollte so überritten werden, dass Sie im idealen Winkel auf den ersten Sprung zukommen. Dann wird jeder Sprung auf dem Weg betrachtet, den Sie mit Ihrem Pferd einschlagen wollen. Merken Sie sich genau, an welchen Punkten Sie abwenden und wie groß Sie jede einzelne Wendung reiten wollen. Jeden neuen Sprung betrachten Sie zuerst aus der Ferne und dann noch mal aus der Nähe. Prüfen Sie auch die Bodenverhältnisse auf dem Weg zu den Sprüngen und unmittelbar an den

Das Abgehen des Pacours auf genau dem Weg, den Sie nachher reiten werden, ist wichtig, um ein Gefühl für den richtigen Weg und die passenden Distanzen zu bekommen. Sie sollten sich jedes Hindernis aus Reitersicht genau ansehen.
Foto: C. Busch

*Vor allem Kombinationen können von vorne für das Pferd eng und unübersichtlich wirken. Sie sollten in diesem Fall das Pferd beim Einreiten oder Anreiten zwischen den Hindernissen hindurch reiten, um ihm die Landestelle zu zeigen.
Foto: C. Busch*

Sprüngen. Ein extrem tiefer Boden muss durch vermehrtes Vorwärtsreiten ausgeglichen werden. Es sollte auch geprüft werden, ob der Anritt eines Hindernisses eben, bergauf oder bergab ist. Bei einem Anritt bergauf müssen Sie vermehrt vorwärts reiten, um den Schwungverlust auszugleichen, bei einem Anritt bergab das Pferd besser aufnehmen und setzen. Alle diese Dinge müssen Sie sich einprägen.

Die Abmessungen von Distanzen und Kombinationen müssen Sie abschreiten und entscheiden, wie diese zu reiten sind. In kleineren Springen wird dies bei einem Pferd mit normal langem Galoppsprung in der Regel kein Problem sein, da jedes Pferd genug Vermögen hat, um nicht ganz passende Distanzen ausgleichen zu können. In höheren Springen muss hier genau gemessen und überlegt werden, wie eine Kombination oder eine Distanz zu lösen sind. Die Ziellinie muss betrachtet werden, damit diese möglichst zeitsparend durchritten werden kann und keinesfalls vergessen wird.

Bei einem Springen mit Stechen ist der Stechparcours abzugehen, da man später nicht mehr die Möglichkeit dazu hat, wenn man ins Stechen gekommen ist. Die Sprünge des Stechparcours sind in ihrer Reihenfolge auf der Parcoursskizze angegeben, die am Parcours und an der Meldestelle ausgehängt sein muss. Für das Stechen werden vielleicht einige Hindernisse des Grundparcours entfernt, weil diese im Wege stehen (es ist dann zum Beispiel möglich, dass nur der zweite Sprung einer Kombination im Stechen ist). Notfalls kann man auch den Parcourschef fragen, über welche Hindernisse das Stechen stattfinden wird.

Vorbereitung des Pferdes

Wenn das Pferd noch nicht routiniert in Turnierbesuchen ist, sollte man es vor dem eigentlichen Abreiten bereits in der Nähe des Prüfungs- und Abreiteplatzes herumführen, um es an die Atmosphäre zu gewöhnen (allerdings mit Zaumzeug). Eine weitere Möglichkeit für temperamentvolle Pferde ist das Ablongieren. Hier wird das Pferd beruhigt und gewöhnt sich an die neue

Am Turnierplatz angekommen

Das gelassene Schrittgehen am Abreiteplatz oder in der Nähe des Prüfungsplatzes hilft dem Pferd sich zu entspannen und mit der fremden Situation zurecht zu kommen. Bevor Sie das Abreiten beginnen, sollte das Pferd völlig losgelassen schreiten. Foto: C. Busch

Umgebung. Es ist für den Reiter dann leichter, das bereits ablongierte Pferd zu reiten und es besteht nicht mehr die Gefahr, sich mit dem Pferd anzulegen. Allerdings muss abgeklärt werden, ob das Longieren erlaubt ist. Oft wird hierfür ein spezielles Areal bereit gestellt.

Natürlich können Sie das Pferd auch ohne Ablongieren im Schritt am langen Zügel an die Umgebung gewöhnen. Wenn man zu früh mit dem Arbeiten beginnt, kann sich das Pferd noch nicht auf den Reiter konzentrieren und es werden Probleme auftreten. Diese sollte man möglichst vermeiden. Dann wird im ruhigen Trab und Galopp geritten, bis die Rittigkeit wie zu Hause gegeben ist. Je nach Veranlagung des Pferdes werden Lektionen und Übergänge geritten, um die Durchlässigkeit optimal einzustellen.

Tipp

Am besten erstellt man vor dem Turnierbesuch eine Checkliste in zeitlicher Abfolge und bittet einen Helfer, die Checkliste Punkt für Punkt abzuhaken, damit nichts vergessen wird.

Das Nachgurten darf auf keinen Fall in der allgemeinen Aufregung vergessen werden.

Das Abreiten selbst sollte wie zu Hause trainiert geschehen. Zwischendurch sind Schrittpausen sinnvoll, um sich und das Pferd zu entspannen. In dieser Zeit sollte man in Gedanken noch mal die Prüfungsaufgabe durchgehen. Es besteht die Möglichkeit, sich von einem Helfer die Aufgabe im

Viereck vorlesen zu lassen. Dies sollte ebenfalls zu Hause geübt werden. Dennoch muss der Reiter die Aufgabe auswendig beherrschen, da man immer mal etwas nicht verstehen kann oder ansonsten zu leicht vergisst. Das sichere Beherrschen der Aufgabe gibt dem Reiter die Möglichkeit vorausschauend zu reiten.

Das Trainieren des Pferdes auf dem Abreiteplatz ist sinnlos. Es wird die Dinge, die es nicht kann, unter diesen Bedingungen auf keinen Fall verbessern. Im Gegenteil wird es hierdurch so nervös, dass die eigentlich guten Lektionen auch nicht mehr klappen. Hier ist weniger auf jeden Fall mehr. Zeitlich sollten Sie das Abreiten auf maximal 45 Minuten mit Pausen und Schrittgehen ausdehnen.

Tipp

Keinesfalls sollte das Pferd verschwitzt und überritten (zu lange abgeritten) in die Prüfung gehen. Dies wirkt sich meist schlecht auf die Note aus. Lieber reiten Sie etwas weniger ab. Die meisten Pferde gehen dann besser. Allerdings sollte man bei Ankunft am Abreiteplatz kontrollieren, ob alle laut Tafel vor einem startenden Reiter anwesend sind, um keine bösen Überraschungen mit ausgefallenen Reitern zu riskieren. Meist hat man bei Dressurprüfungen die Möglichkeit, unmittelbar vor dem Dressurviereck auf einem kleineren Areal noch ein paar Runden vor dem Start zu drehen. Diese müssen dem Abreiten zugerechnet werden.

Beim Abreiten sollten Sie das Pferd zur Losgelassenheit bringen. Durch Leichttraben, Übergänge und Biegungen soll das Pferd den Rücken hergeben und sich auf die Aufgabe konzentrieren. Zwischendurch können kurz Lektionen vorbereitet werden, aber trainieren muss man zu Hause. Foto: C. Busch

12 Beim Springen

Sprünge auf dem Abreiteplatz sind hauptsächlich für den Reiter wichtig, um sich auf die Aufgabe einzustellen. Für das Pferd reichen normalerweise drei bis vier Sprünge, um sich auf einen Springparcours vorzubereiten. Sie sollten einen Helfer organisieren, der Ihnen die Hindernisse auf dem Abreiteplatz aufbaut. Zuerst wird ausschließlich aus dem Trab und wenn möglich mit Taktstange gesprungen. Die Höhe wird dabei langsam bis zu einem Meter gesteigert. Diese Trabsprünge sind wichtig, um dem Pferd (und auch dem Reiter) Sicherheit und Vertrauen zu geben. Es soll durch die einfache, gewohnte Aufgabe seine Angst vor den fremden Bedingungen verlieren.

Danach erfolgen Sprünge aus dem Galopp. Hier ist unbedingt darauf zu achten, dass der Reiter sich auf das Taxieren konzentriert. Dies ist unter Turnierbedingungen schwieriger, weil man eher abgelenkt ist. Vielleicht ist auch der Boden anders und das Pferd fühlt sich durch die Spannung auf einem fremden Platz ebenfalls ungewohnt an. Alle diese Schwierigkeiten sollte man an kleinen Sprüngen in den Griff bekommen, um Sicherheit zu bekommen. Das ist der Sinn des Abreitens.

Das Springen von einigen Hindernissen in Endhöhe der Prüfung ist sinnvoll, da sich der Reiter und das Pferd auf die veränderte Absprungdistanz bei höheren Hindernissen einstellen müssen. Danach sollte aber wieder zu kleineren Sprüngen übergegangen werden. Vor Übertreibungen in der Höhe muss gewarnt werden, da diese das genaue Gegenteil, nämlich Unsicherheit bewirken. Sprünge, die höher sind als die im Parcours geforderten, sollten deshalb nicht übersprungen werden. Erlaubt sind Sprünge, die bis zu zehn Zentimeter über der Prüfungshöhe liegen. Wichtig ist, dass die Anzahl der Sprünge nicht übertrieben wird. In der Regel reichen 15 bis 20 Sprünge. Sie sollten möglichst nicht mehr fordern als beim Aufwärmen zu Hause, denn die Gefahr, das Pferd durch unpassende Sprünge zu verunsichern, steigt mit der Anzahl der Sprünge. Es ist besser, völlig konzentriert immer wieder einen einzelnen Sprung zu machen und seine Fehler möglichst zu korrigieren. Sie sollten erfühlen, wie sich ein guter Sprung anfühlt, und versuchen, diesen Zustand immer wieder herbeizuführen. Ein ständiges, abgehetztes Springen wird genau das Gegenteil bewirken, das heißt Sie und Ihr Pferd werden übernervös und gehen entkräftet und entnervt in den Parcours. Zwischen den Reprisen sollten Sie Ihr Pferd am langen Zügel Schritt reiten, um Stress und Spannung abzubauen. Sie sollten tief durchatmen und sich vorstellen, wie Sie den Parcours Sprung für Sprung korrekt überwinden werden. Dies ist auch eine gute Möglichkeit, um den abgegangenen Parcours in Gedanken mit allen Einzelheiten noch einmal zu reka-

*Niedrige Trabsprünge helfen Pferd und Reiter Sicherheit zu gewinnen. Wenn es mal nicht ganz so passt, ist das bei dieser Höhe noch kein Problem. Die vorgelegte Absprungstange hilft die richtige Absprungdistanz zu finden.
Foto: C. Busch*

pitulieren. Während dieser Zeit wird sich Ihr Pferd auch entspannen und seiner Aufgabe besser gewachsen sein. Wenn möglich sollten Sie sich vor Ihrem Start ein oder zwei andere Starter ansehen. Empfehlenswert ist es, sich Reiter auszusuchen, die bereits auf dem Abreiteplatz einen guten Eindruck gemacht haben, oder von denen Sie wissen, dass sie mit ihrem Pferd eine gute Runde reiten werden. Die Betrachtung eines schlechten Beispiels ruft meistens eine negative Grundeinstellung hervor. Unser Unterbewusstsein spielt uns hier einen Streich und suggeriert uns, dass wir ebenso wie das gerade gesehene Beispiel Probleme haben werden. Diese Unsicherheit sollten Sie gar nicht aufkommen lassen. Sagen Sie sich ständig, dass Sie die Aufgabe bewältigen können, da Sie und Ihr Pferd vorher ausreichend zu Hause trainiert haben und alle an Sie gestellten Aufgaben leicht erfüllen können.

Erster Starter

Zufällig als erster Reiter starten zu müssen ist für viele Reiter eine unangenehme Vorstellung, was aber völlig unnötig ist, weil es auch durchaus vorteilhaft sein kann. Erst einmal kennen Sie abgesehen von Ablaufverzögerungen Ihre Startzeit ganz genau und brauchen keine Angst zu haben, dass vor Ihnen Reiter ausfallen. Außerdem wird der erste Ritt bei Wertnotenprüfungen tendenziös nach oben bewertet, da die Richter ja noch nicht wissen, wie das Prüfungsniveau sein wird und die Noten keinesfalls zu tief ansiedeln wollen. Außerdem kann der Reiter völlig unbelastet an seine Aufgabe herangehen und diese ohne Einschüchterung durch die Beobachtung anderer Reiter so erfüllen, wie er es zu Hause erfolgreich trainiert hat. Das ist oft besser, als

Beim Springen

im letzten Moment noch Ratschläge bezüglich der Aufgabenbewältigung zu bekommen, weil andere Reiter gerade Probleme mit bestimmten Lektionen, Hindernissen oder Prüfungsplatzgegebenheiten hatten.

Beim Springen müssen Sie Ihr Abreiten etwas anders organisieren. In diesem Fall müssen Sie Ihr Pferd bereits vor Prüfungsbeginn abreiten und dann erst den Parcours besichtigen. Zusätzlich zur geplanten Abreitezeit sollten Sie weitere 15 Minuten einplanen, in denen Sie den Parcours besichtigen. Sie müssen bereits vorher einen Helfer organisieren, der Ihr Pferd in der Zwischenzeit führt oder Schritt reitet.

Die Parcoursbesichtigung können Sie in aller Ruhe vornehmen, wenn Sie Ihr Pferd bereits ausreichend abgeritten haben. Halten Sie sich zu Beginn der Parcoursbesichtigung möglichst am Eingang auf, um dann sofort mit dem Abgehen beginnen zu können. Wenn Sie fertig sind, stellen Sie Ihr Pferd nochmals kurz auf die Aufgabe ein, machen noch einen Sprung, um seine Aufmerksamkeit wieder auf das Springen zu richten, und reiten dann zum Einlass. Ist ein weiterer Sprung nicht mehr möglich, muss ein Rückwärtsrichten zur Konzentration ausreichen. Dafür haben Sie den Vorteil, dass der Boden wahrscheinlich noch ideal für Sie und Ihr Pferd präpariert ist.

Tipp

Man sollte seine Helfer so erziehen, dass sie einen vor dem Start nicht verunsichern, indem sie vor allem Möglichen warnen. Wenn man zum Beispiel vor einer bestimmten Stelle im Viereck gewarnt wird, an der alle Pferde scheuen, wird das eigene Pferd mit ziemlicher Sicherheit wegen der Nervosität seines Reiters an dieser Stelle ebenfalls scheuen. Der Reiter sollte genügend Selbstvertrauen entwickeln, um dem positiv gegenüberzustehen.

Beim Springen ist ein guter Helfer unerlässlich. Er muss Ihnen die Sprünge aufbauen und das Pferd zum Pacoursabgehen abnehmen können. Ausserdem sollte er oder sie möglichst beruhigend und Sicherheit gebend auf Sie einwirken.
Foto: P. Prohn

Prüfungsreiten

Wenn Sie an der Reihe sind zu starten, wird Sie normalerweise jemand vom Personal der Abreiteplatztafel mit Ihrer Nummer aufrufen. Es hat sich allerdings bewährt, zwischendurch selbst einen Blick auf die Tafel zu werfen und sich rechtzeitig auf den Weg Richtung Viereck oder Springplatz zu machen, um sich und das Pferd nicht hetzen zu müssen. Ausgefallene Reiter müssen ebenfalls eingeplant werden.

Beim Einreiten von außen haben Sie vor dem Start die Möglichkeit das Viereck zu umreiten, was Sie auf jeden Fall ausnutzen sollten. Ist Ihr Pferd guckig, reiten Sie es in Ruhe im Schritt an der beunruhigenden Stelle vorbei, danach traben Sie vorbei.
Foto: S. Kovacs

Dressurprüfungen

Normalerweise darf in den unteren Klassen vor dem Start bereits im Viereck geritten werden, um die meist unerfahrenen Pferde an die Prüfungssituation zu gewöhnen. Ob das Einreiten von außen erforderlich ist, sieht man am Vorreiter. Als erster Starter muss man fragen (im Zweifelsfall die Richter). Normalerweise wird nur von außen eingeritten, wenn man das Viereck umrunden kann. Das Herumreiten sollte der Reiter sinnvoll nutzen, indem er seinem Pferd das Viereck zeigt.

Wenn das Pferd an irgendeiner Stelle guckig ist, sollte es beruhigt und in aller Ruhe vorbei geritten werden, damit es sich möglichst schnell entspannt. Dabei sollten möglichst die Hufschlagfiguren eingehalten werden. Außer in Ausnahmefällen werden keine Lektionen mehr geritten, sondern wird das Pferd nur noch mit dem Prüfungsplatz vertraut gemacht und die Konzentration für die Prüfung aufrechterhalten. Das Reiten vor dem Start darf nicht in die Benotung einfließen. Es ist aber dennoch sinnvoll, bereits

Prüfungsreiten

Das Einreiten und der Gruß sind der erste Eindruck für den Richter. Auch Sie selbst können gelassener beginnen, wenn Sie wissen, dass Ihr Pferd (wie zu Hause) korrekt ohne weitere Probleme im Mittelpunkt zum Halten kommt und Sie in aller Ruhe grüssen können. Foto: C. Busch

Man sollte Ihnen stets ansehen können, wie sehr es Ihnen Freude macht, Ihr Pferd zu reiten. Strecken Sie Ihren Körper und reiten Sie aufrecht und selbstbewusst. Ihr Pferd wird sich entsprechend bewegen. Foto: C. Busch

Tipp

Konzentrieren Sie sich in den ersten Prüfungen auf Ihren Sitz. Sie wollen ein aufrechtes und stolzes Bild machen und nicht in sich zusammengekauert auf dem Pferd hängen. In sich zusammengekauerte Reiter können dem Pferd keine eindeutigen Hilfen geben. Wie sich Ihr Pferd reiten lässt, können die Richter auch an Ihrer Haltung erkennen. Wenn Sie verbissen und mit dunkler Miene auf dem Pferd sitzen, wirkt das unbewusst auch für die Richter negativ. Wenn es Ihnen anzusehen ist, dass es Spaß macht, Ihr Pferd vorzustellen, kommt das auch positiv herüber. Verstehen Sie mich nicht falsch, die Richter achten nicht auf Ihr Lächeln, aber sie sind auch nur Menschen und reagieren deshalb instinktiv auch auf Körpersprache.

hier ein korrektes und harmonisches Bild zu bieten. Wenn die Richter klingeln, muss innerhalb von 60 Sekunden eingeritten und gegrüßt werden. Hiermit beginnt die Benotung. Der Reiter sollte sowohl von außen als auch innen stets schnurgerade auf die Mittellinie zum Grüßen kommen. Das Pferd soll geschlossen und ruhig in der Mitte des Vierecks stehen, während Sie (ohne Gerte in der Hand) mit rechts grüßen. Wie in anderen Bereichen zählt auch hier der erste Eindruck. So etwas muss zu Hause trainiert werden.

In der Prüfung müssen Sie vor allem die Übersicht behalten und die Gedanken ausschließlich auf die kommenden Lektionen richten. Jegliche Gedanken über die folgende Benotung, was die Richter von Ihnen denken könnten, wie die bisherigen Lektionen gezeigt wurden und Ähnliches müssen während der Prüfung verdrängt werden. Sie stören und untergraben das Selbstbewusstsein. Nervosität bei den

Denken Sie während der Prüfung ausschließlich an die momentane Haltung Ihres Pferdes und die Vorbereitung der nächsten Lektion. Abschweifende Gedanken haben hier nichts zu suchen. Foto: A. Schmelzer

ersten Turnierstarts ist sehr oft der Grund für Fehler, die normalerweise zu Hause nicht mehr gemacht werden. Hier sollte der Reiter an seiner Grundeinstellung arbeiten. Es ist durchaus normal, am Anfang ein gewisses Kribbeln in der Magengegend zu fühlen und auch zuzugeben, dass man nervös ist. Allerdings sollte man nicht übertreiben und sich selbst einreden, dass alles schief gehen wird, weil das Unterbewusstsein des Reiters das sonst auch wahr machen wird. Man sollte sich immer wieder sagen, dass man die gestellten Anforderungen erfüllen kann. Der Reiter hat genügend zu Hause trainiert und wird trotz leichter Abstriche für anfängliche Nervosität ein gutes Ergebnis liefern.

Es ist wichtig, sich stets auf die Aufgabe zu konzentrieren und sich vorzustellen, wie man die gestellte Aufgabe zuletzt zu Hause korrekt durchgeritten hat und wie alle Lektionen besonders gut gelingen. Außerdem überträgt sich die Nervosität auf das Pferd und ist oft der Grund für Scheuen. Die beste Methode, seine Nerven in den Griff zu bekommen, ist die Konzentration auf die Aufgabe, lassen Sie keine anderen Gedanken zu.

Während der Aufgabe kommt es besonders darauf an, das Pferd mit halben Paraden immer wieder an die Hilfen zu stellen. Lektionen können nur korrekt ausgeführt werden, wenn das Pferd ordentlich an den Hilfen des Reiters steht. Es kommt bei einer Dressur bis zur Klasse L sicher nicht auf die Qualität des Mitteltrabes an. Wichtig ist der harmonische Gesamteindruck. Das Pferd hält in allen Grundgangarten korrekt den Takt, schwingt losgelassen über den Rücken, kaut willig am Gebiss und trägt sich in der Anlehnung. Die Hinterhand tritt schwungvoll und aktiv unter, das Pferd geht bergauf. Der Reiter sitzt losgelassen und gestreckt, er dosiert die Hilfen kaum sichtbar. Dann steht einer sehr guten Note kaum mehr etwas im Wege. Sie sollten sich auch angewöhnen, die Prüfung taktisch zu reiten. Vor einer Verstärkung motivieren Sie die Hinterhand des Pferdes mehr, damit es zum schwungvollen Vorwärtstreten kommt, vor der Versammlung werden

Prüfungsreiten

die Zügel verkürzt, auf die Aufrichtung geachtet. Auch muss Ihnen vor der Aufgabe stets klar sein, wo versammeltes, Arbeits- oder Mitteltempo gezeigt werden muss. Allzu oft sind die Unterschiede hier zu wenig ausgearbeitet. Lektionen und Übergänge müssen vorbereitet werden. Vor einer ganzen Parade zum Halt beispielsweise sollte das Tempo aufgenommen werden und das Pferd mit halben Paraden gesetzt werden. Vor einer Lektion aus dem Halten sollte nicht allzu lange stehen geblieben werden, um das Vorwärts im Pferd zu erhalten. Auf die korrekte Stellung und ausreichende Biegung sollte auf jeder gebogenen Linie geachtet werden. Die Hufschlagfiguren sollten korrekt eingehalten werden. All diese Kriterien zu beachten ist bereits in einer kleinen Dressurprüfung eine ganze Menge, aber das bringt dauerhaft gute Noten. Nutzen Sie Ihre Trainingszeit und verbessern Sie stufenweise alle Einzelheiten in den verschiedenen Aufgaben. Erst dann ist es sinnvoll, eine höhere Klasse in Angriff zu nehmen, da Sie sonst immer den Ballast der noch unvollkommenen Bereiche aus der niedrigeren Klasse mitschleppen.

Die letzte Lektion jeder Dressur heißt „Grüßen, anreiten im Mittelschritt und Zügel aus der Hand kauen lassen". Dies bedeutet, dass der Reiter geradeaus auf die Richter zu anreitet und langsam die Zügel aus der Hand kauen lässt. Danach verlässt er auf direktem Weg das Viereck, wobei das Pferd sich willig vorwärts-abwärts an die Hand heranstrecken soll. Wenn es seine Aufgabe auch nur einigermaßen gut gemacht hat, wird das Pferd gelobt und ansonsten auf keinen Fall bestraft. Abgesehen vom schlechten Eindruck, den der Reiter bei den Richtern hinterlässt, verstärkt er hierdurch nur die Angst seines Pferdes vor der ungewohnten Situation. Der Reiter sollte im Gegenteil verständnisvoll mit dem Pferd umgehen und ihm die Angst nehmen. Wenn es bis zum Ende der Aufgabe stark verspannt blieb, sollte es im ruhigen Schritt in der Nähe des Prüfungsplatzes (wenn dies möglich ist) geritten werden, bis es sich entspannt.

Nach dem Reiten wird das Pferd abgewartet wie zu Hause. Man findet auch oft auf dem Turnierplatz die Möglichkeit das Pferd abzuspritzen. Keinesfalls darf man vergessen, es ausreichend zu tränken und zu füttern. Genügend Heu im Hänger sorgt auch dafür, dass das Pferd ruhig steht, da es Beschäftigung hat. Das Füttern von Kraftfutter sollte nicht unmittelbar vor dem Start erfolgen.

In der Prüfung heißt es voll bei der Sache zu sein und das Pferd und den eigenen Sitz (hier zum Beispiel den etwas nach vorne gerutschten Schenkel) immer wieder zu überprüfen und gegebenenfalls zu korrigieren Foto: C. Busch

*Nach dem Ritt sollten Sie zuerst das Pferd versorgen. Es wird abgesattelt, getränkt und wenn es geschwitzt hat, eventuell abgespritzt. Danach sollten Sie es eine Zeitlang führen oder grasen lassen, damit es die Spannung des Prüfungsreitens abbauen kann.
Foto: C. Busch*

Springprüfungen

Nun ist es so weit und Sie starten in Ihrer ersten Springprüfung. Sie reiten im Leichttraben ein und reiten dabei eine kleine Schleife durch den Parcours in Richtung auf die Richter zu. Den Weg, den Sie beim Einreiten einschlagen, haben Sie sich bereits beim Parcoursabgehen überlegt. Dann grüßen Sie die Richter. Sie unterwerfen sich in diesem Moment deren Beurteilung als Sachverständige und erkennen die Richtlinien der LPO an. Sollte Ihr Pferd sehr nervös sein, kann auch im Schritt gegrüßt werden. Wichtig ist, dass Sie so nahe wie möglich an den Richterwagen reiten, so dass die Richter Ihre Startnummer und Ihre Ausrüstung noch einmal überprüfen können.

Danach ordnen Sie Ihre Zügel und traben an. Sie gehen in den Galopp über und reiten im leichten Sitz in Richtung erstes Hindernis. Sie müssen jetzt warten, bis die Richter mit einem Klingelzeichen den Start freigeben. Überreiten Sie die Startlinie vorher, werden Sie disqualifiziert. Normalerweise wird der Start unmittelbar nach dem Grüßen freigegeben. Wenn jedoch noch nicht alle heruntergefallenen Stangen auf-

gelegt sind oder der Parcoursdienst noch nicht auf seinem Platz ist, verzögert sich der Start. Sie haben in der Zwischenzeit die Möglichkeit Ihr Pferd im Parcours zu reiten und es an die Atmosphäre zu gewöhnen. Sie können noch einmal zwischen einer Kombination hindurchreiten oder in die Nähe eines ungewöhnlichen Hindernisses. Das direkte Zeigen von Hindernissen ist allerdings zu vermeiden.

Wenn Sie sich nicht sicher sind, ob das Startzeichen bereits gegeben wurde und Sie es nicht gehört haben, sollten Sie auf keinen Fall einfach starten, sondern zum Richterwagen reiten und fragen, ob das Klingelzeichen bereits

*Das Grüßen vor den Richtern eröffnet die Prüfung. Sie sollten so nahe heranreiten, dass man Ihre Startnummer erkennen kann. Sie ersparen sich und den Richtern damit umständliches Nachfragen.
Foto: C. Busch*

Prüfungsreiten

gegeben wurde. Nach dem Klingelzeichen brauchen Sie auch nicht in Hektik auszubrechen, Sie haben 60 Sekunden Zeit, um zu starten. Sie sollten dennoch zügig beginnen, um den Ablauf der meist dicht gedrängten Zeitplanung eines Turniers nicht durcheinander zu bringen. Sobald Sie durch den Start geritten sind, wird Ihr Ritt bewertet. Volten und Wendungen vor der Startlinie zählen noch nicht.

Wichtig ist, dass Sie zwischen den Hindernissen immer wieder daran denken, Ihr Pferd aufzunehmen und zusammenzuhalten, damit es nicht im Laufe des Parcours lang wird und Sie nicht mehr in der Lage sind, es in einer passenden Distanz zum Hindernis zu reiten. Nach jedem Hindernis müssen Sie die teilweise kurze Strecke bis zum nächsten Anritt nützen, um Ihr Pferd wieder kräftig mit vortreibenden Hilfen an das Gebiss heranzureiten. Sie müssen dabei immer genau wissen, wie der Parcours weitergeht, und sich stets ausschließlich auf das Überwinden des nächsten Hindernisses und den nachfolgend einzuschlagenden Weg konzentrieren. Lassen Sie keine Ablenkung zu. Vor allem dürfen Sie sich nicht von heruntergefallenen Stangen irritieren lassen. Im Parcours ist keine Zeit für eine Fehleranalyse. Sie vergessen einfach den Fehler und seine Auswirkung auf Ihr Ergebnis oder eine mögliche Platzierung und bemühen sich, den weiteren Parcours so gut wie möglich zu reiten. Vorsicht ist auch am letzten Hindernis noch mal geboten. Wenn bisher alles gut gegangen ist, ist die Versuchung groß, bereits jetzt „aufzuhören". Zwingen Sie sich, auch den letzten Sprung völlig konzentriert zu reiten und dann auf dem schnellsten Weg durch die Ziellinie zu galoppieren. Dann können Sie sich entspannen, Ihr Pferd loben, es langsam zum Trab durchparieren und möglichst zügig den Parcours verlassen.

Tipp

Steigern Sie Ihr Tempo beim Durchreiten der Startlinie und nehmen Sie Ihr Pferd mehr auf. Meistens reiten unerfahrene Turnierreiter bei Beginn des Parcours zu wenig energisch wegen weicher Knie oder einem mulmigen Gefühl in der Magengegend. Diese Unentschlossenheit überträgt sich dann aufs Pferd und es zögert vielleicht am ersten Sprung. Sie müssen also all Ihre Kraft zusammennehmen und das Pferd mit energischen Hilfen an das erste Hindernis heranreiten. Da das erste Hindernis immer etwas freundlicher und niedriger ist, ist es kein so großes Problem, hier unpassend zu kommen. Ist das erste Hindernis überwunden, ist schon mal eine wichtige Hürde geschafft. Sie sehen, dass es funktioniert, und können genauso energisch das nächste Hindernis in Angriff nehmen.

Durch das Hochlegen der Stange signalisiert der Pacourschef, dass dieses Hindernis gesperrt ist. Jedes Hindernis auf dem Prüfungs- und auf dem Abreiteplatz muss rechts rot und links grün ausgeflaggt sein. Foto: C. Busch

Platzierung

14

Wenn genügend Zeit bis zur Platzierung ist, sollten Sie Ihr Pferd auf jeden Fall absatteln und eventuell noch mal in den Hänger stellen. Ob man in die Platzierung gekommen ist, wird am Ende der Prüfung von den Richtern bekannt gegeben. Grundsätzlich muss ein Viertel der Starter (mindestens jedoch vier Reiter) platziert werden. Allerdings können nur platzierungswürdige Ritte platziert werden. Dies bedeutet, dass mindestens 50 Prozent der gestellten Anforderungen erreicht sein müssen: In der Dressur und im Stilspringen muss mindestens die Wertnote 5,0 erreicht werden und im Fehler-Zeit-Springen muss mindestens die Hälfte der Hindernisse überwunden worden sein.

Ist der Veranstalter großzügig, können auch zusätzliche Platzierungen vorgenommen werden. Allerdings sollte nicht mehr als ein Drittel der Teilnehmer platziert werden, da nur diese maximal eine Anrechnung der Platzierung erhalten.

Während Sie auf Ihre Note oder die Platzierung warten, sollten Sie absteigen und Ihrem Pferd eine Verschnaufpause gönnen. Auch der Sattelgurt sollte gelockert werden. Allerdings dürfen Sie in der Platzierung nicht vergessen ihn wieder enger zu gurten. Foto: C. Busch

Platzierung

Der Sieger einer Prüfung reitet im gesetzten Galopp oder Trab auf die Richter zu, um dort in angemessenem Abstand zu halten. Die Platzierten reihen sich links neben dem Sieger auf. Das Anstecken der Schleife können Sie mit Ihrem Pferd bereits zu Hause üben. Foto: P. Lenkeit

Zur Platzierung ist es erlaubt, dass man sein Pferd in der Dressur weiß bandagiert oder Gamaschen anlegt, da es schöner aussieht. Gebisse sind nur entsprechend der Prüfung erlaubt. Sie müssen immer mit dem platzierten Pferd in die Siegerehrung reiten. Nur in Ausnahmefällen können Sie von den Richtern (vor der Platzierung) einen Dispens hiervon erhalten. Diese Regelung soll verhindern, dass Reiter im Vorteil sind, weil sie einem Pferd, das später noch startet, in einer vorausgehenden Platzierung bereits das Viereck zeigen können. Ab dem sechsten Platz ist es nicht mehr Pflicht mit dem Pferd einzureiten. Sie können es auch auf dem Hänger lassen und zu Fuß in korrekter Reitkleidung zur Platzierung kommen. Bei Nichtteilnahme an der Siegerehrung ohne Erlaubnis der Richter wird Ihnen übrigens die Platzierung entzogen.

Der Sieger reitet im gesetzten Galopp in Richtung Richtergruppe und pariert in angemessenem Abstand durch, um von den Richtern die Schleife angesteckt zu bekommen. Das Anstecken der Schleife sollte man mit dem Pferd zu Hause bereits geübt haben.

Links neben den Sieger kommen die Platzierten. Die Schleifenfarben folgen immer in dieser Reihenfolge: 1. Gold (Gelb), 2. Silber, 3. Weiß, 4. Blau, 5. Rot und ab dem 6. Platz alle Grün. In Kategorie C können für hintere Plätze zusätzlich braune Schleifen vergeben werden. Das Preisgeld wird Ihnen entweder sofort in einem Kuvert überreicht oder Sie können es später an der Meldestelle abholen. Die Höhe der Preisgelder können Sie im grünen Teil der LPO nachsehen. Sollte es Doppelplatzierungen geben, wie zum Beispiel zwei dritte Plätze, entfällt der vierte Platz und wird das Preisgeld vom dritten und vierten Platz addiert und aufgeteilt. Nach dem Schleifenanhängen wird eine Ehrenrunde rechte Hand im Galopp mit Musik geritten. Auch das sollte Ihr Pferd schon kennen, damit es nicht hektisch wird und es Probleme mit anderen Pferden gibt. Beim Passieren der Richter und Zuschauer ist es üblich zu grüßen oder bei Herren den Hut abzunehmen.

Fehleranalyse und Korrektur

15

Nach dem Ritt ist eine Fehleranalyse angebracht und wichtig für den Reiter, um weiterzukommen. Es ist sinnvoll, seinen Ritt auf Video aufzunehmen und mit seinem Ausbilder oder unter Zuhilfenahme des Protokolls der Richter anzusehen. Hier sollte der Reiter ehrlich sein, denn das Erkennen seiner Fehler ist der erste Schritt, um sie auszumerzen. Objektivität ist unerlässlich. Der Reiter kann sich hier ruhig auf das Richterurteil verlassen, gerade wenn ein bestimmter Fehler immer wieder von verschiedenen Richtern bemängelt wird. Und wie bereits gesagt, wenn aus dem Protokoll nicht hervorgeht, woran es hauptsächlich gemangelt hat, kann man durchaus ein freundliches Gespräch mit den Richtern suchen und sich helfen lassen. Die meisten Richter sind gleichzeitig Ausbilder oder sehr gute Reiter und gerne bereit zu helfen.

Bei Reiterwettbewerben und Prüfungen in Abteilung werden meist keine Protokolle geschrieben. Hier ist es üblich – wenn der Zeitrahmen es zulässt – dass die Richter unmittelbar nach der Prüfung den Reitern noch zu Pferde die noch zu verbessernden Sitz- und Einwirkungsfehler mitteilen. Foto: C. Busch

Bei Dressurprüfungen

Man sollte in den Protokollen hauptsächlich den Basisfehlern sein besonderes Augenmerk für das Training zu Hause widmen. Gerade Fehler in den Punkten der Ausbildungsskala – Takt, Losgelassenheit, Anlehnung, Schwung, Geraderichtung und Versammlung – lassen keinesfalls eine gute Note zu. Man muss sich als Reiter nicht einfach damit abfinden, dass sein Pferd nicht gut am Zügel geht oder zu wenig über den Rücken schwingt. In fast allen Bereichen ist durch konsequentes, korrektes Reiten eine Verbesserung möglich. Allerdings dauert es oft sehr lange, bis ein antrainierter Fehler beim Pferd ausgemerzt werden kann. Hierzu ist oft eine totale Umstellung der Muskulatur des Pferdes vonnöten, was mindestens zwei bis drei Monate Zeit kostet. Man darf nicht zu früh aufgeben oder gar ständig die Taktik ändern. Sie sollten sich bei derartigen Problemen einen guten Ausbilder suchen und zusammen mit diesem durch regelmäßigen Unterricht oder auch Beritt

Fehleranalyse und Korrektur

das Pferd verbessern. Man muss bei einer grundlegenden Umstellung sehr konsequent sein, bis das Pferd deutliche Verbesserung zeigt. Sie werden sehen, dass sich dann auch sofort die Noten steigern und stabilisieren.

*Bereits ab der Klasse L müssen alle Punkte der Ausbildungsskala erfüllt sein. Takt, Losgelassenheit, Anlehnung, Schwung, Geraderichtung und Versammlung werden in den Lektionen geprüft. Zur Verbesserung der Geraderichtung eignet sich das Schultervor-Reiten.
Foto: C. Busch*

Tipp

Dasselbe gilt natürlich auch für das Fortkommen in eine höhere Klasse. Es dauert geraume Zeit, bis das Pferd gelernt hat, sich für schwerere Lektionen vermehrt zu tragen und zu versammeln oder höher zu springen. Man muss ihm dafür ausreichend Zeit und Aufbautraining gönnen, um später keine Probleme durch übereiltes Vorgehen zu bekommen. Denn die Korrektur eines verrittenen oder überforderten Pferdes dauert stets länger als die korrekte langsame Ausbildung.

Bei Springprüfungen

Stangenfehler

Auf den ersten Turnieren sollten Sie heruntergefallene Stangen völlig ignorieren. Wenn Ihr Pferd zu Hause fehlerfrei über Hindernisse in dieser Höhe springt, liegt das Problem wahrscheinlich an seiner oder Ihrer Nervosität auf dem Turnier. Wenn das Pferd noch unerfahren ist, kann es anfangs durchaus sein, dass es wegen der vielen Eindrücke und Geräusche auf dem Turnier abgelenkt ist und deshalb die Hindernisse zu wenig konzentriert springt. Sie sollten es mit ruhiger Konsequenz aufnehmen und es durch Ihre Einwirkung zur Konzentration bewegen. Die Nervosität wird sich nach einigen Turnierbesuchen legen und das Pferd wird mit der Zeit dieselbe Leistung erbringen wie zu Hause.

Verweigern

Das Verweigern auf dem Turnier sollte genau analysiert werden, da sich hier schnell eine Gewohnheit einschleichen kann, die dann ein erfolgreiches Turnierreiten zunichte macht. Sie sollten mit Ihrem Ausbilder abklären, ob die Verweigerung durch Ihre Einwirkung, extreme Nervosität oder Angst des Pferdes, zu hohe oder zu ungewohnte Hindernisse oder mangelndes Training verursacht wurde.

Wichtig ist die korrekte Einwirkung des Reiters bei einer Verweigerung. Zuerst einmal sollten Sie mit Ihrer Hilfengebung so auf das Pferd einwirken, dass ein Vorbeilaufen am Hindernis für das Pferd nicht möglich ist, indem Sie es mit Zügeln und Schenkeln mehr einrahmen und energisch vorwärts reiten. Vor allem das deutliche Anstehenlassen der Zügel ist wichtig. Oft ist damit die Unart bereits beseitigt. Wenn das Pferd stehen bleibt, soll es direkt vor dem Sprung stehen bleiben und nicht an der Seite vorbeilaufen.

Da bei einer Verweigerung meistens sowieso keine Aussicht auf Platzierung mehr besteht, können Sie jetzt in aller Ruhe das Pferd einen Moment vor dem Hindernis stehen lassen (das Zeigen eines verweigerten Hindernisses ist erlaubt), es vielleicht beruhigen und dann auf einem möglichst kurzen Weg innerhalb von 60 Sekunden den Sprung erneut mit etwas deutlicheren Kreuz- und Schenkelhilfen und eventuell der Patsche, die Sie an der Schulter des Pferdes vor dem Sprung einsetzen, anreiten und in der Regel dann auch überwinden.

Ist das Pferd bei der Verweigerung in den Sprung hineingerutscht und hat die Stangen heruntergeworfen oder den Unterbau verrutscht, werden Sie von den Richtern abgeklingelt. Während das Parcourspersonal den Sprung wieder in Ordnung bringt, haben Sie Zeit, Ihr Pferd in der Nähe des Sprunges zusammenzustellen und zur Konzentration zu bringen. Ist das Hindernis fertig, galoppieren Sie in Richtung Hindernis, warten aber mit dem Überspringen, bis die Richter den Sprung per Klingelzeichen freigegeben haben. Für das Abläuten werden Ihnen sechs zusätzliche Strafsekunden zur Zeit addiert.

Wenn das Pferd zur Seite ausgebrochen ist, sollten Sie es zum Sprung zurückreiten und ihm diesen Sprung aus der Nähe zeigen und dann erneut anreiten.

Beim Verweigern auf dem Turnier muss der Reiter konsequent, zügig und richtig handeln. Nach der Verweigerung darf dem Pferd das Hindernis gezeigt werden. Bei häufigem Verweigern sollte man sich die Zeit nehmen und dem Pferd das Hindernis einige Sekunden lang zeigen, bis es nicht mehr zurückweicht. Dann wird auf kürzestem Weg energisch erneut angeritten. Foto: P. Prohn

Ein kurzes Korrigieren des Pferdes nach einer Verweigerung auf dem Abreiteplatz ist erlaubt und sinnvoll. Verboten und unreiterlich ist allerdings langes Strafexerzieren. Das Pferd hat dabei keinen Bezug mehr zu seinem Fehlverhalten. Foto: C. Busch

Fehleranalyse und Korrektur

Wenn das Verweigern öfter vorkommt, sollten Sie nach einem erfolgreichen Korrektursprung das Pferd loben und aufgeben und den Parcours verlassen. Sie brauchen dazu nur die Hand in Richtung der Richter zu heben. Bei gravierenden Problemen mit Verweigerungen sollte man nicht riskieren, im weiteren Parcours eine erneute Verweigerung zu provozieren. Stattdessen sollte man mit dem Pferd unbekannte Trainingsparcours üben, wo man in aller Ruhe das Verweigern korrigieren kann, oder in einer leichteren Klasse starten, bis das Pferd sicher durch den Parcours läuft.

> **Tipp**
> Korrektursprünge sind nur über einzelne Hindernisse und nicht über eine Kombination vorzunehmen.

Falls Ihr Pferd auch beim zweiten Versuch am gleichen Hindernis stehen bleibt, sollten Sie sich überlegen, ob das Hindernis vielleicht zu hoch oder sonst irgendwie zu schwer für das Pferd ist. In diesem Fall ist es sinnvoller, sich ein leichteres Hindernis (zum Beispiel das erste Hindernis) für einen Korrektursprung auszusuchen, als ein dreimaliges Verweigern am gleichen Hindernis in Kauf zu nehmen. Indem Sie einen anderen, am besten bereits übersprungenen, einfachen Steilsprung wiederholt springen, geben Sie automatisch auf und müssen im Anschluss den Parcours verlassen. Ein weiterer Korrektursprung ist dann nicht mehr erlaubt.

Hat Ihr Pferd zum dritten Mal verweigert, werden Sie abgeläutet und sind ausgeschieden. Es steht Ihnen aber frei, noch einen beliebigen Korrektursprung zu machen. Sie suchen sich hier ein möglichst leichtes Hindernis aus. Eventuell ist es auch sinnvoll, auf dem Abreiteplatz noch ein Hindernis zu überwinden.

Kombination verweigern

Verweigert Ihr Pferd ein kombiniertes Hindernis, müssen alle (auch bereits überwundene) Hindernisse der Kombination erneut gesprungen werden. Alle hierbei entstehenden Fehler werden dem Endergebnis hinzugezählt, auch wenn Sie beim ersten Versuch Teile der Kombination fehlerfrei überwunden haben. Welche Hindernisse Kombinationen sind, sollten Sie sich beim Abgehen bereits einprägen, um bei einem Verweigern genau zu wissen, wie Sie reagieren müssen. Natürlich kann hier auch zuerst das verweigerte Hindernis gezeigt werden. Bei Verweigerungen am ersten Hindernis der Kombination hat sich das Pferd meist beim Anblick der folgenden Hindernisse so sehr erschreckt, dass es erst mal stehen bleibt. Wenn Sie beim Abgehen unmittelbar vor der Kombination stehen, können Sie sehen, dass die Hindernisfolge für das Pferd sehr bedrohlich aussieht und es im Anritt nicht erkennen kann, ob es zwischen den Hindernissen genügend Platz zum Landen hat. Abhilfe kann hier das Durchreiten zwischen den einzelnen Hindernissen der Kombination beim Einreiten schaffen. Wenn die Verweigerung bereits passiert ist, sollten Sie dem Pferd das erste Hindernis zeigen, dabei kann es auch die weiteren Hindernisse etwas besser sehen. Sie sollten auch daran denken, zu Hause wuchtig wirkende Kombinationen mit Unterbauten, Fängen und vielen Stangen aufzubauen und mit dem Pferd zu üben. Das Pferd muss lernen, dass es sich auf den Reiter verlassen kann, wenn er ihm eine derartige Aufgabe abverlangt. Die Routine des Pferdes im Umgang mit Kombinationen ist unerlässlich.

Beim Verweigern am zweiten oder dritten Hindernis einer Kombination ist oft eine unpassende Distanz schuld. Entweder ist der Reiter bereits unpassend an das erste Hindernis herangekommen und die falsche Distanz wurde in der Kombination fortgeführt, oder die Abstände in der Kombination sind für das Pferd nicht passend. Hier wäre es sinnvoll, den Moment, in dem Sie Ihrem Pferd das Hindernis zeigen, zu nutzen um sich kurz zu überlegen, wo der Fehler liegt. Wenn Sie zu dicht gekommen sind, sollten Sie das Tempo etwas erhöhen, wenn Sie zu weit gekommen sind, sollten Sie das Tempo vermehrt aufnehmen und das Pferd mehr setzen. Wichtig ist, dass Sie sich dann aber völlig auf den Anritt des Hindernisses konzentrieren und gut taxieren. Auf keinen Fall dürfen Sie über dem Hindernis zu weit aus dem Sattel gehen und nach vorne kommen, da Sie dann nicht in der Lage sind, unvermittelt die folgenden Hindernisse energisch anzureiten. War die Absprungdistanz zum zweiten oder dritten Hindernis unpassend, weil das Pferd zum Beispiel gezögert hat, müssen Sie hier entsprechend reagieren.

Sie müssen beim Parcoursabgehen aufpassen, ob zwei Hindernisse, die in direkter Folge stehen, auch wirklich als Kombination aufgebaut sind, oder ob es sich hier um eine Distanz handelt. Zweifache oder dreifache Kombinationen stehen im Abstand von einem (circa sieben Meter) oder zwei Galoppsprüngen (circa 10,50 Meter). Distanzen dagegen stehen im Abstand von drei (circa 14 Meter) oder vier Galoppsprüngen (circa 17,50 Meter). Sie müssen die Abstände bei der Parcoursbesichtigung abgehen und die Nummerierung der Hindernisse beachten. Kombinationen werden mit der gleichen Nummer, aber Sprung A, B und C bezeichnet, Distanzen haben jeweils fortlaufende Nummern.

Verweigern an der geschlossenen Kombination

Eine besondere Form ist die geschlossene Kombination. Hier ist ein He-

Als pferdegeeignete Strafe oder Aufforderung zur Konzentration wird das Rückwärtsrichten angesehen. Rückwärtsrichten bedeutet in der Herde das Nachgeben gegenüber einem ranghöheren Pferd. Übertragen gibt das Pferd dem ranghöheren Reiter nach. Foto: C. Busch

Fehleranalyse und Korrektur

rausreiten zwischen zwei Kombinationshindernissen nicht möglich. Meist handelt es sich hier um Naturhindernisse wie zum Beispiel einen Wall oder ein Pulvermanns, bei denen es wegen der natürlichen Gegebenheit nicht möglich ist, bei einem Verweigern aus der Kombination herauszureiten und alle Hindernisse erneut zu springen. In diesem Fall muss das nächste Hindernis überwunden werden, ohne die Kombination zu verlassen. Die Schwierigkeit liegt natürlich im kurzen Anrittweg. Sie können Ihr Pferd nur auf einer kleinen Volte wenden und das Hindernis mit einem oder zwei Galoppsprüngen anreiten. Wenn das Hindernis nicht zu hoch ist, sollte man es aus dem Trab überwinden, weil dann das Taxieren leichter fällt.

Das Überwinden von Hindernissen ohne langen Anlauf sollte zu Hause geübt werden. Im Training überspringen Sie normal hohe Sprünge aus dem Trab (die Höhe der Hindernisse sollte langsam gesteigert werden). Anfangs sollten Sie eine Taktstange vorlegen, um den idealen Absprungpunkt zu treffen. Später wird diese entfernt. Als weitere Übung sollten die Hindernisse aus einer Kehrtvolte heraus angeritten werden. Man kann dazu ein Hindernis so aufbauen, dass es aus der Ecke heraus in einer Kehrtvolte anzureiten ist. Den Durchmesser der Volte verkleinert man bis auf acht oder zehn Meter.

Um eine geschlossene Kombination zu erkennen, müssen Sie die Parcoursskizze zu Rate ziehen. Bei geschlossenen Kombinationen werden die Hindernisse der Kombination eingerahmt, bei offenen sind sie offen dargestellt. Bei diesen Kombinationen sollten Sie sich auf jeden Fall ansehen, wie Sie sich im Falle eines Verweigerns verhalten wollen.

Korrigieren am Abreiteplatz

Das Nachkorrigieren am Abreiteplatz ist bei den Richtern und Veranstaltern nicht gerne gesehen, was auch völlig verständlich ist, da es oft falsch verstanden wird und manchmal bereits an Tierquälerei grenzt. Unabhängig davon stört es den Ablauf der Prüfung, wenn bereits gestartete Reiter noch mal auf dem Abreiteplatz reiten. Sind Sie allerdings ausgeschieden und hat Ihr Pferd auch den Gehorsamssprung im Parcours verweigert, sollten Sie auf dem Abreiteplatz noch einmal ein einfacheres Hindernis springen. Allerdings reicht das ein- oder zweimalige Überwinden eines Trabsprunges oder ähnlich leichten Sprungs. Danach wird das Pferd gelobt und ruhig trocken geritten. Wie auch im Training soll das Pferd stets mit einer gut ausgeführten Aufgabe aufhören. Manchmal muss man die Anforderungen stark zurückschrauben, um ein positives Ergebnis zu erhalten. Für die Psyche des Pferdes ist es unerheblich, wie hoch oder breit das Korrekturhindernis ist. Es ist nur wichtig, dass es das Hindernis ohne Probleme überwindet und sein Vertrauen zurückgewinnt.

> **Tipp**
>
> Das Pferd auf dem Abreiteplatz für sein Verhalten im Parcours zu strafen ist völlig zwecklos, da es keinen Zusammenhang mehr herstellen kann. Sie können lediglich von ihm verlangen, jetzt noch einmal eine leichte Aufgabe korrekt auszuführen.

Training
des Turnierpferdes

Beim Reiten ist es wichtig, das richtige Gefühl für die Hilfengebung zu entwickeln. Es geht nicht darum, möglichst viel auf dem Pferd zu tun, sondern es mit sinnvoll kombinierten, leichten Hilfen zur Losgelassenheit zu führen. Es soll sich wohl fühlen und willig mitarbeiten, dann kann es auch jede Lektion erlernen.

Trainingsplan

Da jedes Pferd unterschiedlich ist und es kein allgemein gültiges Rezept gibt, wie jedes Pferd zu reiten ist, muss der Reiter selbst oder mit Hilfe eines Reitlehrers herausfinden, wie sein Pferd am besten mitmacht. Wichtig ist es hierbei, die Basisfehler zu erkennen und zu verbessern. Wenn sein Pferd dazu neigt, auseinander zu fallen und lang zu werden, müssen sicherlich immer wieder halbe Paraden gegeben werden, um die Haltung des Pferdes wieder zu verbessern. Wenn das Pferd dazu neigt davonzustürmen, ist es sicherlich sinnvoll, es immer wieder vermehrt zu setzen und Übergänge zu reiten. Der Reiter sollte nachdenken, wo seine Probleme liegen und wo die Probleme des Pferdes liegen und einen Trainingsplan aufstellen, nach dem gearbeitet wird. Dieser enthält tägliche, wöchentliche und längerfristige Ziele. Bei einer schlechten Anlehnung wird zum Beispiel ein Plan aufgestellt, der Longieren, Reiten von Übergängen und Wendungen vorsieht. Das Planen des Trainings ist ausgesprochen wichtig, um Fortschritte zu machen. Über diese sollte man eventuell auch Buch führen, um den Fortschritt des Pferdes nachvollziehen zu können.

Ein gut gerittenes und gymnastiziertes Pferd macht beim Reiten Spaß und wird mit Leichtigkeit alle Lektionen erlernen und willig ausführen. Foto: W. Ernst

Training des Turnierpferdes

Training des Dressurpferdes

Die Ausbildungsskala ist die Heilige Schrift in der Ausbildung und damit in der turniermäßigen Vorstellung des Pferdes. Nur in Anlehnung an die Ausbildungsskala kann ein Pferd korrekt ausgebildet und trainiert werden. Gemäß der Ausbildungsskala wird entsprechend folgender Punkte gearbeitet: Takt, Losgelassenheit, Anlehnung, Schwung, Geraderichten und Versammlung. Bereits bei einer L-Dressur müssen alle Punkte der Ausbildungsskala erreicht sein, um ein Pferd korrekt vorstellen zu können.

Die Grundgangarten im Takt reiten
Ist der Takt in den Grundgangarten eines Pferdes nicht gegeben, kann das Pferd nicht gut bewertet werden, daher ist es von Anfang an unser oberstes Ziel, den Takt des Pferdes in den Gangarten sowie in allen Wendungen und Übergängen zu erhalten oder sogar zu verbessern. Die korrekten Fußfolgen des Pferdes in den Grundgangarten sollte der Reiter kennen und falsche Formen sofort bemerken und erfühlen können.

Der Schweif des Ponys pendelt. Die Verbindung zwischen Reiterhand und Pferdemaul ist weich. Das Pony bewegt sich losgelassen.
Foto: C. Busch

Losgelassenes Schwingen in der Bewegung
Dies bedeutet, das Pferd von jeder Spannung freizuhalten, so dass es sich locker und entspannt unter dem Reiter bewegt. Dann wird es auch seine optimale Bewegungsqualität zeigen. Losgelassen gehende Pferde vermitteln ein Bild von Eleganz und Harmonie gegenüber verspannten Pferden, deren Bewegungen abgehackt wirken. Zu erkennen ist die Losgelassenheit am zufriedenen Gesichtsausdruck des Pferdes, gelöstem Ohrenspiel, schwingenden Rücken, an lockeren Bewegungen, pendelndem Schweif (nicht eingeklemmt oder aufgestellt), Fallenlassen des Halses und Abschnauben.

Anlehnung an das Gebiss

Die Verbindung zum Pferdemaul soll weich und elastisch sein. Der Reiter muss durch die vortreibenden Hilfen die Verbindung zum Gebiss herstellen. Das Pferd erhält durch die Anlehnung eine Stütze, um sich besser ausbalancieren und im Takt bewegen zu können. Das Pferd darf sich dabei jedoch nicht auf den Zügel legen. Die Verbindung zwischen Reiterhand und Pferdemaul ist elastisch wie ein Gummiband. Der Reiter darf niemals ziehen.

In sehr vielen Fällen ist gerade die Anlehnung einer der Schwachpunkte von Dressurvorstellungen. Ein Pferd, das lediglich mit groben Zügelhilfen durchgestellt werden kann, wird sich in der Prüfung immer mit festem Rücken und abgehackten Bewegungen zeigen. Meist wird die Einwirkung des Reiters gerade unter der Stresssituation der Prüfung noch härter. Da dieser Fehler weit verbreitet ist, wird er von den Richtern besonders hart bestraft. Zu vermeiden sind natürlich auch jegliche Anlehnungsfehler wie enger Hals, Tiefkommen, Hinter-dem-Zügel-Gehen oder falscher Knick.

Als Zungenfehler wird das seitliche Heraushängenlassen oder Hochziehen der Zunge bis zum Über-das-Gebiss-Nehmen verstanden. Man merkt das, wenn man plötzlich nichts mehr in der Hand hat. Bei einem wiederholten Zungenproblem kann keine platzierungswürdige Note gegeben werden, da es in fast allen Fällen durch zu harte oder fehlerhafte Handeinwirkung oder unsachgemäßes Reiten mit scharfen Gebissen im Laufe der Ausbildung des Pferdes provoziert wurde. Ein kurzes Zeigen der Zunge wird noch toleriert.

Genügend gestellt und gebogen
Stellung bedeutet die seitliche Abstellung des Pferdekopfes im Genick. Die Wirbelsäule des Pferdes bleibt dabei gerade. Bei einem losgelassenen Pferd kann man die korrekte Stellung daran erkennen, dass der Mähnenkamm des Pferdes zur Innenseite kippt. Falsche Stellung in Lektionen oder Wendungen wird in Dressurprüfungen negativ beurteilt. Hierbei sollte auch das Verwerfen im Genick beachtet werden. Keinesfalls darf der äußere Zügel so hart geführt werden, dass das Pferd den Kopf schief hält.

Pferde, die dazu neigen, hinter den Zügel zu kommen, sind zwar oft besonders leichttrittig, dennoch ist fehlerhaft, wenn das Pferd nicht an das Gebiss herantritt. Die falsche Anlehnung muss durch energisches Herantreiben des Pferdes an das Gebiss verbessert werden.
Foto: C. Busch

Das Pferd ist für das Schenkelweichen genügend weit abgestellt, allerdings kommt es dabei zu tief und hinter die Senkrechte. Das Genick ist nicht mehr der höchste Punkt.
Foto: C. Busch

Training des Turnierpferdes

*Das Verwerfen des Genicks muss besonders beachtet werden. Der Pferdekopf ist leicht nach außen verdreht, er steht nicht mehr gerade. Hier müsste der äußere Zügel mehr nachgegeben werden.
Foto: A. Busch*

*Das junge Pferd tritt hier schwungvoll mit genügend Schulterfreiheit vorwärts. Es kommt dabei allerdings noch zu sehr auf die Vorhand. Im Laufe der Ausbildung muss das Pferd lernen, Verstärkungen im Trab und Galopp mit überwiegender Gewichtsverlagerung auf die Hinterhand zu zeigen.
Foto: A. Busch*

Unter Biegung versteht man die Wölbung der gesamten Längsachse des Pferdes einschließlich des Halses. Die Stellung im Genick ist Voraussetzung für die Biegung der Pferdewirbelsäule. Durch die Biegung wird die Wirbelsäule des Pferdes zur Innenseite hohl. Biegung wird auf allen Wendungen und in diversen Lektionen verlangt. Bei einem korrekt gebogenen Pferd treten die Hinterbeine in der Wendung stets in die Hufspuren der Vorderbeine. Bei einem frisch abgezogenen Viereck kann man die Hufspuren genau betrachten und sehen, ob sie auf einer Linie bleiben.

Bei korrekter Biegung bleibt das Pferd auch ohne die ständige Einwirkung des inneren Zügels nach innen gestellt. Der leichte innere Zügel ist besonders wichtig, da er auf das innere Hinterbein einwirkt. Ein vermehrtes Untertreten ist nur möglich, wenn das Pferd nicht gleichzeitig von dem inneren Zügel blockiert wird.

Mit Schwung vorwärts

Schwung kann nur in den Gangarten Trab und Galopp entwickelt werden, da diese entgegen dem Schritt eine Schwebephase haben. Schwungentfaltung bedeutet die Steigerung des natürlichen Schwunges des Pferdes durch das vermehrte Engagement der Hinterhand in Bezug auf die Vorwärtsbewegung. Die Schwungentfaltung wird sowohl in den Grundtempi als auch in den Verstärkungen geprüft. Sie lässt das Pferd im Arbeits-, Mitteltempo und in der Versammlung mit engagierter Hinterhand schwungvoll abfußen und sorgt so für Ausdruck. Alle Pferde können durch das Fleißigermachen der Hinterhand enorm an Bewegungsqualität zulegen.

Leider wird im Mitteltempo oft einfach schneller geritten, was grundlegend falsch ist, da hierbei die Schwebephase durch den schnelleren Abfußtakt verkürzt und nicht verlängert wird. Schwungvolle Gangarten sind von einer Verlängerung der Schwebephase charakterisiert.

Reite Dein Pferd gerade!

Das Pferd ist von Natur aus schief. Dies kommt einerseits von der Lage des Fohlens im Mutterleib, andererseits durch die Tatsache, dass es vorne (an der Brust) schmaler ist als hinten (Hüfte). Fast alle jungen und unausgebildeten Pferde „kleben mit der Schulter an der Bande" und fußen daher mit dem inneren Hinterfuß weiter in der Bahnmitte als mit dem inneren Vorderfuß. Aus diesem Grund geht viel Vorwärtsimpuls verloren. Ein Ausrichten der Vorhand auf die Hinterhand (auch in Wendungen) durch eine leichte Schultervorstellung ist deshalb unerlässlich.

In der Dressurprüfung wird geprüft, ob der Reiter das Pferd sowohl auf der Geraden als auch in den Wendungen auf einem Hufschlag reiten kann. Gerade bei Galoppverstärkungen und engen Wendungen zeigt sich oft die Schiefe, also das Fußen auf zwei Hufschlägen und nach innen Drücken der Hinterhand, meist auf einer Hand deutlicher. Der Ausdruck „schief" im Protokoll wird aber von vielen Reitern falsch interpretiert, indem sie meinen, es geht hier um das Geradeauslaufen auf der Mittellinie oder den langen Seiten. Zur Überprüfung der Geraderichtung sollte der Reiter auf der langen Seite in den Spiegel vor ihm an der kurzen Seite sehen. Die Hinterhand darf nicht weiter innen fußen als die Vorhand. Zum Geraderichten eignen sich besonders Seitengänge wie das Schulterherein.

Versammlung ab L-Dressur

Versammlung bedeutet die vermehrte Gewichtaufnahme des Pferdes mit der Hinterhand und die daraus resultierende Entlastung der Vorhand und relative Aufrichtung im Hals- und Genickbereich. Unausgebildete Pferde verteilen ihr Gewicht und das des Reiters auf Vor- und Hinterhand. Hierbei liegt zu viel Gewicht auf den nicht so kräftigen Vorderbeinen des Pferdes, was unweigerlich zu einem vermehrten Verschleiß führt. Es ist also schon aus gesundheitlichen Gründen wichtig, das Pferd zu lehren, das Gewicht mehr auf die Hinterhand zu verlagern. Als angenehme Begleiterscheinung ergibt sich durch das Setzen und Winkeln der Hinterhand gleichzeitig vermehrte Schulterfreiheit, die dem Pferd ausdrucksvollere, raumgreifendere Bewegungen und eine verbesserte Aufrichtung ermöglicht.

Die Geraderichtung des Pferdes kann man an den langen Seiten von vorne und hinten erkennen. Die Hinterhand des Pferdes darf nicht weiter innen auffußen als die Vorhand. Zur Geraderichtung ist Reiten in Stellung und Schultervor besonders geeignet. Foto: C. Busch

Training des Turnierpferdes

Das Pferd kommt zu tief auf die Vorhand. Das Genick ist nicht mehr der höchste Punkt. Foto: A. Busch

Dieses Pferd bewegt sich bergauf. Das Genick wird als höchster Punkt getragen. Foto: A. Busch

Im Laufe der Ausbildung kommt die Hinterhand immer mehr unter das Pferd. Es senkt sich im Hankenbereich. Gleichzeitig ist es in der Lage, sich mehr aufzurichten. Foto: C. Busch

Die Versammlung wird im Laufe der Ausbildung durch ein energischeres Herantreten der Hinterhand entstehen und nicht durch ein Langsamermachen mit den Zügeln, wie man es in Dressurprüfungen niedriger Leistungsklassen leider oft sehen kann. Der versammelte Trab ist schwungvoll und ausdrucksstark. Gleichzeitig mit dem vermehrten Winkeln der Gelenke der Hinterhand (Hankenbiegung) entsteht die relative Aufrichtung, das heißt das Pferd bewegt sich mehr bergauf und trägt sein Genick höher. Das Pferd lernt, nicht mehr remontenmäßig vorwärts-abwärts zu gehen, sondern sich in der Bewegung aufzurichten. Der Grad der Aufrichtung ist stets direkt von dem entsprechenden Setzen der Hinterhand abhängig. Eine erzwungene Aufrichtung mit Zügeln oder Hilfszügeln ist fehlerhaft und auf jeden Fall abzulehnen, da dies zum Wegdrücken des Rückens führt.

Training des Springpferdes

Das Training des Pferdes, um seine Springmanier zu verbessern, ist ebenso wichtig wie das Training des Reiters. Schließlich ist das Pferd ja auch Athlet und muss seine Muskulatur und seinen Bewegungsablauf für die speziellen Aufgaben, die an es gestellt werden, trainieren. Dies gilt insbesondere für junge Pferde, die in Springpferdeprüfungen vorgestellt werden. Hier werden die folgenden Punkte der Pferdeausbildung geprüft, weil sie für das Überwinden höherer Hindernisse für das Pferd unerlässlich sind.

Bascule
Bascule bedeutet die Dehnung und Aufwölbung des Pferderückens aus dem Widerrist heraus über dem Sprung. Erkennbar ist das gute Basculieren durch die runde Oberlinie des Pferdes, das Vorwärts-abwärts-Dehnen des Halses über dem Sprung, den locker pendelnden Schweif und den zufriedenen Gesichtsausdruck bei gespitzten Ohren. Um so besser das Pferd seinen Rücken aufwölbt, um so höher kann es springen und das Hindernis fehlerfrei überwinden.

*Das Pferd springt mit genügend Bascule, erkennbar durch die entspannt abwärts gedehnte Halspartie.
Foto: P. Lenkeit*

Ein weggedrückter Rücken verursacht Schmerzen beim Pferd und entsteht hauptsächlich durch eine zu feste Reiterhand über dem Sprung. Der Rücken des Pferdes bleibt dann waagrecht. Das Pferd legt die Ohren an, lässt die Beine hängen und richtet den Hals über dem Hindernis auf.

Um das Pferd zum Basculieren anzuregen, sollte es in Springreihen über freundlich aufgebaute, möglichst tiefe Oxer aus passenden (auf keinen Fall zu weiten) Distanzen springen. Der Reiter muss dabei gut mit den Händen nachgeben und den Rücken des Pferdes entlasten. Die Anforderungen sollen langsam gesteigert werden. Um das Pferd über dem Sprung zum Nach-unten-Sehen zu bewegen und damit die Rückentätigkeit zu verbessern, kann man auch eine Decke oder Ähnliches unter den Sprung legen. Beim freien Anreiten von Hindernissen ist vor allem auf das Taxieren und das Mitgehen in der Bewegung des Reiters zu achten. Wenn der Reiter hier noch Schwierigkeiten hat, muss er ein Pferd, das den Rücken über dem Sprung wegdrückt, vor allem in Gymnastikreihen und mit Taktstangen springen.

Schnellkraft und Manier

Die Manier der Pferdebeine und die Schnellkraft sind ein wichtiges Kriterium für das fehlerfreie Überwinden von Hindernissen. Das Pferd soll sich schwungvoll vom Boden abdrücken und seine Vorder- und Hinterbeine gut anwinkeln. Es soll dabei möglichst schnell reagieren und darf die Beine keinesfalls hängen lassen. Um die Manier zu verbessern, werden vor allem In-Outs, Gymnastikreihen aus dem Trab mit eng stehenden Sprüngen und Reihen mit Steilsprüngen aus dem Galopp mit variierenden Abständen geübt. Das Pferd muss seine Reaktionsfähigkeit schulen. Hierzu kann man eine passen-

Training des Turnierpferdes

de Distanz beim erneuten Anreiten etwas verkürzen und mit gleichem Tempo hineinreiten, so dass das Pferd etwas dichter kommt und seine Vorderbeine schnell und extrem anwinkeln muss, um keinen Fehler zu machen. Kommt es doch an die Stange, ist das als Korrektur zu sehen, da sensible Pferde hier nur einmal einen Fehler machen. Ein Barren des Pferdes, bei dem versucht wird, es beim Springen so zu erschrecken oder ihm Schmerzen zuzufügen, damit es in Zukunft seine Beine besser anwinkelt oder höher springt, halte ich für unsinnig, da man dadurch dem Pferd nur Angst macht und die Wahrscheinlichkeit, dass es verweigert, größer ist als die, dass es seine Manier verbessert. Dies kann ausschließlich durch geschickten Aufbau bei der regelmäßigen Springgymnastik (ein bis zwei Mal pro Woche) erreicht werden.

Die Hinterbeine des Pferdes sollen vom Hüftgelenk ab möglichst weit nach hinten oben aufgemacht werden. Um speziell die Hinterbeinmanier zu schulen, werden möglichst tiefe Oxer mit variierenden Abmessungen in Sprungreihen geübt. Die Schnellkraft des Pferdes wird vor allem durch Trabsprünge verbessert, bei denen es nicht aus eiligem Galopp springt, sondern sich kraftvoll und energisch vom Boden abdrückt.

Taxier- und Reaktionsvermögen

Taxieren bedeutet das „Passend zum Sprung"-Reiten. Das Taxiervermögen des Pferdes wird durch das schrittweise Weglassen von Absprunghilfen oder das Freispringen verbessert. Im Training sollte man das Pferd an niedrigen Sprüngen immer wieder ohne Einwirkung auf den Absprung üben lassen, selbst eine passende Distanz zu finden. Die Anforderungen dürfen hier jedoch keinesfalls zu schwer sein. Am Ende der Ausbildung sollte das Pferd in der Lage sein, eine einzelne Stange an einem Hindernis korrekt anzunehmen und fehlerfrei zu überwinden. Das Reaktionsvermögen wird durch das Abwechseln von verschiedenen Hindernissen und Abständen erreicht. Beim Pferd darf auf keinen Fall Langeweile beim Springen aufkommen, da es hierdurch nachlässig wird und Fehler macht. Um so abwechslungsreicher das Training gestaltet wird, um so besser ist das Pferd auf fremde Parcours auf dem Turnierplatz vorbereitet.

Selbstvertrauen zum Vermögen

Das Selbstvertrauen des Pferdes muss im Laufe der Ausbildung langsam gestärkt werden, indem man die Hindernishöhe aus passenden Distanzen heraus steigert. Das Pferd ist sich zu Anfang seiner Springkarriere noch gar nicht bewusst, welche Höhen es überspringen kann. Der Reiter muss es erst behutsam und geduldig an die Grenze seines Leistungsvermögens führen. Hierzu werden vor allem Oxer (auch Careé – das heißt vordere und hintere Oxerstange auf gleicher Höhe), bei denen das Pferd lernt, „sich fliegen zu lassen" aus Sprungreihen heraus angeritten. Die Abmessungen müssen schrittweise gesteigert werden, wobei darauf zu achten ist, dass zwischendurch immer wieder kleinere, vertrauensbildende Sprünge überwunden werden. Der Reiter muss das Pferd vor dem Sprung in die Hand treiben, um ein energisches Abfußen und weites Vorspringen des Pferdes zu ermöglichen.

Mentale Einstellung zum Turnierstart

Warum mental trainieren?

In anderen Sportarten wie Skifahren, Tennis oder Golf ist eine Prüfungsvorbereitung ohne Einbezug des mentalen Trainings nicht denkbar. Hier werden Spitzenleute als mentale Trainer für hohe Summen verpflichtet, um dem Sportler die richtige Einstellung und Motivation zu geben, ohne die ein Siegen nicht möglich ist. Der Reitsport ist hier ein Stiefkind. Es wird ausschließlich der technische Ablauf geübt und auf die Verfassung des Sportlers keine Rücksicht genommen. Hieran sollte sich einiges ändern. Es gibt einige Möglichkeiten, das mentale Training einzusetzen. Zum einen um die Wettkampfsituation zu simulieren und dem Reiter die richtige Einstellung und Motivation zu geben, zum anderen können auch rein technische Abläufe, die durch mentale Blockaden physisch falsch wiedergegeben werden, durch das mentale Training verbessert werden.

In der Vorbereitung auf eine Prüfung ist mentale Stärke gefragt. Der Reiter kann durch genügend Selbstbewusstsein beruhigend auf das Pferd einwirken. Foto oben: C. Busch, unten: A. Schmelzer

Meditation

Um in der Lage zu sein, auf das Unterbewusstsein einzuwirken und ihm Anweisungen geben zu können, muss man sich zuerst in einen Zustand der Meditation bringen, um für die kommenden Affirmationen bereit zu sein. Man sollte sich irgendwo in Ruhe ein paar Minuten hinsetzen oder hinlegen, bei geschlossenen Augen ein paar Atem- und Entspannungsübungen machen (wie das genau geht, würde hier zu weit führen und ist aus diversen Büchern ersichtlich). Im entspannten Zustand sollte man über sein Reiten

Mentale Einstellung zum Turnierstart

nachdenken. Es bringt nichts, sich abgehetzt auch noch im Geiste mit dem Reiten zu beschäftigen. Man sollte das auf das Wochenende verlegen oder die Zeit vor dem Einschlafen, nach dem Aufwachen, in der Badewanne, wann und wo immer man persönlich am besten in der Lage ist, abzuschalten und sich mit neuen Dingen zu beschäftigen.

Zielsetzung

Komplizierte Bewegungsabläufe wie bei der Hinterhandswendung können durch mentales Training unterstützt und verbessert werden. Foto: C. Busch

Man sollte sich kurzfristige und langfristige Ziele setzen, wie zum Beispiel auf dem nächsten Turnier oder in der nächsten Reitstunde die Aufgabe sauber und korrekt durchzureiten. Langfristig will man vielleicht eine Klasse höher erfolgreich starten. Als Nahziel bedeutet das, dass man die Versammlung seines Pferdes noch verbessert oder seine Biegungsfähigkeit mehr fördert, um somit die Seitengänge vorzubereiten. Diese Zielsetzung ist wichtig, um weiterzukommen. Man sollte seine Fortschritte beim Reiten immer wieder analysieren, um festzustellen, wo es am meisten fehlt und durch welche speziellen Übungen man diese Mängel ausgleichen kann. Wenn man alleine trainiert, ist das Festlegen eines Trainingsplanes nötig. Aber auch beim Besuch von Reitstunden eines Ausbilders ist es nötig, sich Gedanken über das Vorwärtskommen zu machen und diese am besten mit dem Ausbilder zu besprechen. Oft ist es auch ein Ansporn für den Ausbilder, wenn er durch die Aktivität des Schülers erfährt, wie ernst es diesem mit seiner Ausbildung ist und er wird sicher gerne dessen Wünschen bezüglich spezieller Übungen nachkommen. Sinnvoll sind zusätzliche Privatstunden, bei der gezielt die persönlichen Probleme behandelt werden.

Mentales Training zur Technikverbesserung

Das mentale Training kann ganz konkret in der Verbesserung technischer Abläufe eingesetzt werden. Da die Bewegungsabläufe beim Reiten sehr komplex sind, ist es schwierig, hier Korrekturen oder Verbesserungen durchzuführen. Wenn man zum Beispiel seinen Sitz und die gleichzeitige

Einwirkung beim Galoppieren verbessern möchte, weil hier immer wieder Schwierigkeiten bestehen, kann das mentale Training helfen. Das Unterbewusstsein kann nicht unterscheiden, ob man real auf dem Pferd sitzt oder ob man nur im Geiste trainiert. Aus diesem Grund werden auch nachts unsere Träume als absolut real empfunden. Das mentale Training hat also den Vorteil, dass man in seiner Vorstellung völlig frei ist, und sich alles so positiv vorstellen kann, wie man möchte. Allerdings darf man hier nicht übertreiben, denn zu unrealistische Vorstellungen, wie beispielsweise dass man plötzlich perfekt eine S-Dressur reitet, nimmt einem das Unterbewusstsein nicht ab. Der Reiter sollte sein körperliches Trainingsprogramm durch geistige Vorstellungen ergänzen. Je nachdem, an was man gerade arbeitet, sollte man sich zehn bis 15 Minuten Zeit nehmen und zusätzlich mental trainieren.

Nach der Entspannungsphase wird Trockentraining durchgeführt, das heißt man stellt sich im Geiste vor, wie man auf dem Pferd sitzt, es für eine Prüfung abreitet. Alles muss möglichst realistisch sein, damit das Unterbewusstsein getäuscht wird. Man stellt sich vor, was man anhat, wie sich das Pferd anfühlt, wie es riecht, welche Geräusche man hört. Das Einbeziehen der Sinne ist wichtig, um eine möglichst wirkliche Atmosphäre zu schaffen. Dann beginnt man mit dem Galoppieren. Man fühlt, wie man völlig ausbalanciert und gerade auf dem Pferd sitzt und die Hilfen weich fließen. Das Pferd galoppiert willig und korrekt an den Hilfen und fühlt sich sehr gut an. Man kann sich und seinen Sitz dann

Beim mentalen Training kommt es darauf an, positive Bilder zu gestalten. Besonders geglückte Momente beim Reiten sollte man verinnerlichen und immer wieder versuchen herzustellen, auch wenn es zu Anfang nur für einen Moment ist. Foto: A. Schmelzer

auch noch aus der Sicht eines Außenstehenden betrachten. Danach wird die Sitzung beendet und langsam in die Wirklichkeit zurückgekehrt. Für das Unterbewusstsein wurde soeben eine Reitstunde absolviert, in der der Reiter es geschafft hat, beim Galoppieren korrekt einzuwirken. Das Unterbewusstsein wird nun versuchen, das in der nächsten Stunde wieder zu realisieren.

Besonders vorteilhaft ist das mentale Training bei Problemen, die durch eine psychische Sperre des Reiters nicht gelöst werden können. Wenn man zum Beispiel immer wieder Schwierigkeiten bei den Seitengängen hat, kann es sein, dass man sich selbst vor diesen Lektionen bereits so verspannt, dass man in der Realität auf dem Pferd nicht mehr in der Lage ist, korrekt zu agieren. Dies ist auch oft der Grund, warum ein anderer Reiter mit demselben Pferd in dieser Lektion überhaupt keine Schwierigkeiten hat. Hier ist das mentale Training ideal, um die Ressentiments abzubauen. Man steigert damit das eigene Selbstbewusstsein, da, wie gesagt, der Geist nicht unterscheiden kann, ob man wirklich erlebt oder ob nur simuliert wird. Auf jeden Fall sollte es vermieden werden, dass sich nega-

Mentale Einstellung zum Turnierstart

tive Bilder im Unterbewusstsein festsetzen. Oft ist genau das das Problem, warum gerade die Lektion auf dem Turnier schief geht, bei er man die ganze Zeit schon ein schlechtes Gefühl hatte. Hier ist nichts anderes passiert, als dass man sich ständig vorgestellt hat, wie man hierbei Probleme hat und das Unterbewusstsein hat dann dafür gesorgt, dass das auch in der Realität passiert. Der Reiter sollte also jede negative Vorstellung verweigern und sie aus seinem Gedächtnis löschen, in dem er sozusagen seine Vorstellungen überarbeitet und durch neue positive Bilder ersetzt. Auch wenn das alles recht einfach klingt, bedarf es doch längerer geistiger Arbeit, um hier Erfolge verbuchen zu können. Aber es ist für jeden möglich dies zu erlernen.

Wettkampfeinstellung

Die Wettkampfeinstellung ist sicherlich einer der bedeutendsten Faktoren, warum manche Sportler immer erfolgreich sind und andere immer Pech haben. Menschen, die sich vorstellen können, wie sie eine Aufgabe gut oder sehr gut lösen und auch fest daran glauben, es zu können, haben so viel Selbstbewusstsein, dass es ihnen wirklich leichter fällt, die gestellten Aufgaben zu bewältigen. Andere hingegen, die ständig von Selbstzweifeln gequält sind, werden durch ihre Zweifel immer behindert. Nicht umsonst werden Spitzensportler vor einem Wettkampf psychologisch aufgebaut. Jeder Reiter sollte sich eine positive Haltung gegenüber sich selbst aneignen. Er ist stolz auf das, was er bereits erreicht hat, und ist überzeugt, noch mehr erreichen zu können, auch wenn es seine Zeit dauert. Im Reitsport gibt es im Gegensatz zu anderen Sportarten keinen direkten Gegner, aber das Pferd wird von der mentalen Einstellung des Reiters beeinflusst. Vor einem Turnier sollte man sich den positiven Ablauf des Turnierbesuches vorstellen. Eine Platzierung kann man sich nicht vorstellen, da diese auch von unbeeinflussbaren Faktoren wie der Konkurrenz abhängig ist. Wenn man konstant gut reitet, werden aber die Erfolge von alleine kommen. Platzierungen sollten für den Reiter sowieso nicht das Maß aller Dinge sein, denn es ist viel wichtiger, mit sich selbst und seinem Pferd zufrieden zu sein und weiterzukommen. Der Rest kommt von allein. Viel Erfolg!

Besonders das turniermäßige Dressurreiten erfordert vom Reiter oft ein dickes Fell und jede Menge Selbstbewusstsein, um sich durchzusetzen. Aber der mühsame Weg lohnt sich, wenn man die Erfolge dann einheimsen kann!
Foto: H. Thiel

Der sichere Weg für einen erfolgreichen Turnierstart

Fühlt man sich als Reiter sicher, möchte man auch sein Können unter Beweis stellen und an Turnieren teilnehmen. Was dabei alles zu beachten ist, beschreibt Clarissa L. Busch, seit 17 Jahren Reitlehrerin und Turnierrichterin, klar und verständlich:

- Welche Voraussetzungen mitzubringen sind
- Welche Vorschriften zu beachten sind
- Wie man sich für ein Turnier anmeldet
- Wie man sich auf dem Turnierplatz benimmt und sich professionell vorbereitet.

Die Autorin lässt keine Frage offen.
Ein Buch, das jeder Turnierneuling gelesen haben muss.

ISBN 3-86127-522-8